ROBERT E. HOWARD

# O POÇO MACABRO

2

Copyright © 2021 Pandorga

All rights reserved.
Todos os direitos reservados.
Editora Pandorga
1ª Edição | Novembro 2021

Autor: Robert E. Howard

**Diretora Editorial**
Silvia Vasconcelos

**Editora Assistente**
Jéssica Gasparini Martins

**Capa e Ilustrações**
Ricardo Chagas (Ilustrações de capa e internas)
Lumiar Design

**Projeto Gráfico e Diagramação**
Rafaela Villela
Lilian Guimarães

**Tradução**
Ana Paula Rezende
Ananda Alves
Maurício Macedo

**Revisão**
Carla Paludo

PandorgA

**Dados Internacionais de Catalogação na Publicação (CIP) de acordo com ISBD**

| | |
|---|---|
| H848p | Howard, Robert E. |
| | O poço macabro / Robert E. Howard ; traduzido por Ananda Alves, Ana Paula Rezende, Maurício Macedo ; ilustrado por Ricardo Chagas. - Cotia, SP : Pandorga, 2021. |
| | 160 p. : il. ; 14cm x 21cm. |
| | Inclui índice. |
| | ISBN: 978-65-5579-137-2 |
| | 1. Literatura americana. 2. Ficção. 3. Fantasia. 4. Conan. 5. Espada & Feitiçaria. 6. Aventura. I. Alves, Ananda. II. Rezende, Ana Paula. III. Macedo, Maurício. IV. Chagas, Ricardo. V. Título. VI. Série. |
| 2021-3980 | CDD 813 |
| | CDU 821.111(73)-3 |

**Elaborado por Vagner Rodolfo da Silva - CRB-8/9410**

**Índice para catálogo sistemático:**
1. Literatura americana: Ficção 813
2. Literatura americana: Ficção 821.111(73)-3

> "O FOGO E O VENTO VÊM DO CÉU, DOS DEUSES DO CÉU, MAS CROM É O SEU DEUS. CROM VIVE DENTRO DA TERRA. OS GIGANTES VIVIAM DENTRO DA TERRA, CONAN. E NA ESCURIDÃO DO CAOS, ELES ENGANARAM CROM E DELE TOMARAM O ENIGMA DO AÇO. CROM ZANGOU-SE E A TERRA TREMEU. O FOGO E O VENTO DERRUBARAM OS GIGANTES E LANÇARAM SEUS CORPOS NA ÁGUA. MAS, EM SUA IRA, OS DEUSES ESQUECERAM-SE DO AÇO E O DEIXARAM NO CAMPO DA BATALHA. E NÓS, QUE O ENCONTRAMOS, SOMOS APENAS HOMENS. NEM DEUSES, NEM GIGANTES, HOMENS APENAS."

(Trecho do filme "Conan – O Bárbaro", 1982, dirigido por John Milius, com roteiro adaptado e co-escrito por Oliver Stone.)

# SUMÁRIO

O ESTERIÓTIPO DE CONAN —— 9

- A SOMBRA NO PALÁCIO DA MORTE —— 13
- O POÇO MACABRO —— 61
- INIMIGOS EM CASA —— 103

GALERIA DE CAPAS —— 139

BIOGRAFIA DO AUTOR —— 145

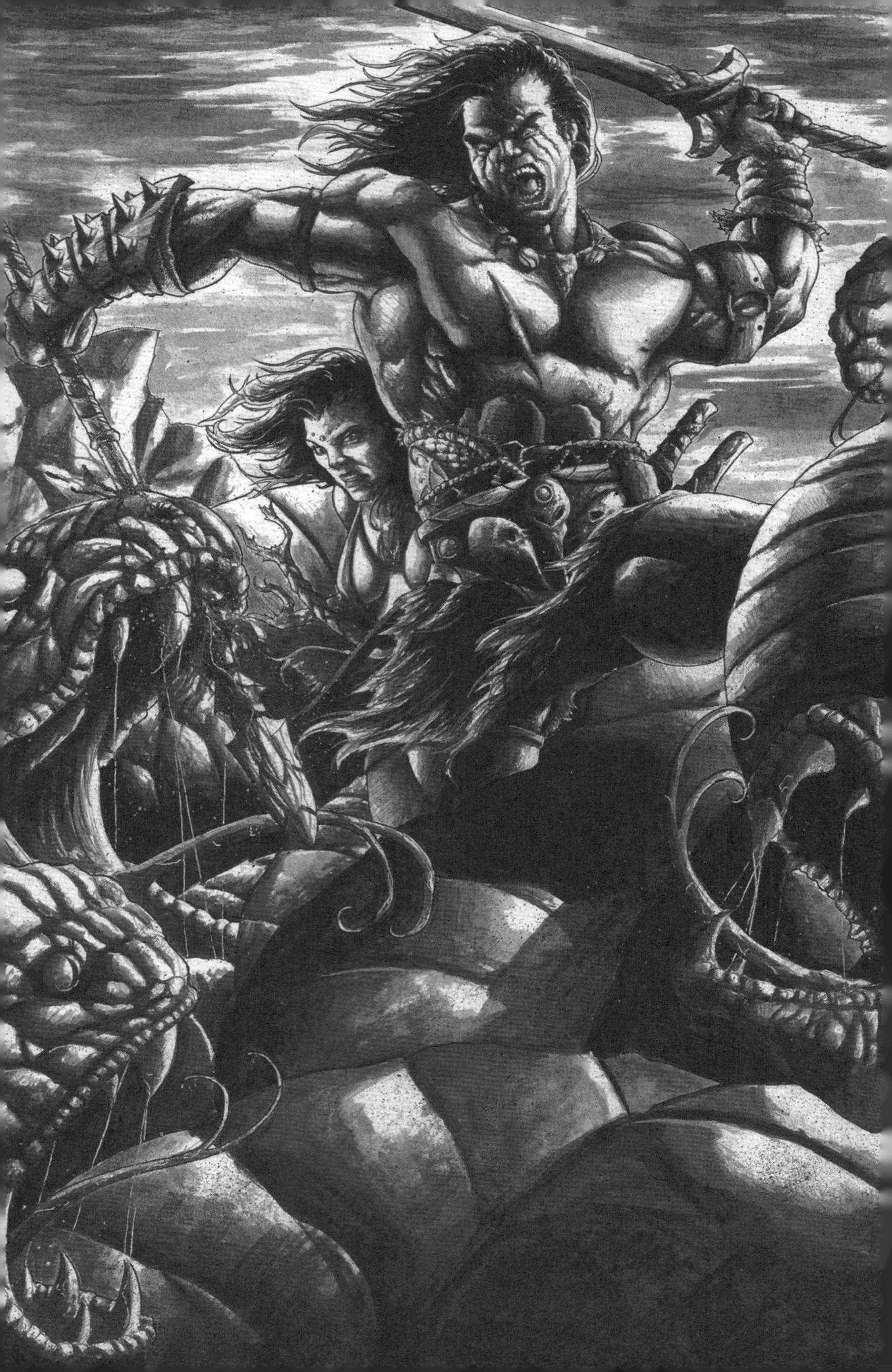

# O ESTERIÓTIPO DE CONAN

O Século XX foi um período privilegiado em razão do surgimento de vários dos mais queridos personagens da literatura fantástica. Entre eles estava Conan, o Cimério, que apesar de ter sido, em grande parte, incompreendido na época, atravessou os anos com inegável fama e até hoje continua sendo recriado e reeditado. Sob a atuação de Arnold Schwarzenegger ou sob a mais recente de Jason Momoa, Conan prova ainda proporcionar ao mundo do entretenimento um profundo interesse, principalmente pelo descompasso entre seus atributos de brutalidade e honra.

De fato, o século passado lhe foi pai mais severo. Sua representação sempre caiu na estereotipagem da figura do bárbaro inculto, assim como aconteceu à figura de Tarzan, personagem criado por Edgar Rice Burroughs e mais tarde popularizado nas produções do Walt Disney. Nem todos na sociedade da época conseguiram observar as nuances desses personagens que suscitavam questões sócio-políticas importantes. A partir do binômio civilização-barbarismo, podia-se chegar a discussões muito mais profundas e não apenas a um raso e mero entretenimento. O estranhamento se deu, em grande parte, porque esse modo de representação era novo, obra de visionários.

Mesmo a crítica feita à coletânea de contos *Skull-Face and Others*, no suplemento dominical *New York Times Book Review*, embora mordaz, não foi capaz de apagar a genialidade de Robert E. Howard. No entanto, é importante ressaltar que ela fez escola. Ao trazer o pungente e ofensivo título de *"Superman on a Psychotic Bender"* a crítica tendeu a comparar Conan como um personagem de quadrinhos, em uma tentativa de diminuir seu *status* literário.

O autor dessa crítica, Hoffman Reynolds Hays afirmou ainda que "os contos reunidos na coletânea variam desde a básica "narrativa estranha" até um tipo de fantasiosa história de ação ambientada no mundo pré-histórico de Lemúria e de Atlântida inventado pelo autor". E logo após isso, o crítico toma a frente de uma opinião que a partir daí será debatida: a relação entre Howard e Lovecraft. Hays diz que "Howard usou muito da cosmogonia e demonologia de Lovecraft, e que no que tange a sua contribuição, criou um conquistador sádico que, ao quebrar crânios não resolvia seus problemas, tendo que recorrer à ajuda da magia e dos Deuses Anciões de Lovecraft". O crítico aqui parece ter sido raso e categórico até demais ao afirmar que o uso de magia em Conan não passava de um *deus ex machina* forjado a partir de uma cópia do universo lovecraftiano. Tendo percebido a extrema agudeza dessa sentença, tenta aliviar dizendo que o nível de escrita do *pulp fiction* de Howard era elevado, em níveis até superiores a *best sellers*, porém que apelava para representações mais voltadas para o crescente gosto pelos quadrinhos do que a uma representação realmente literária.

Hays propõe uma descaracterização do trabalho de Howard que assombrará sua obra por muitos anos a fio. Tanto a acusação de que Howard não passava de um escritor de *fan fiction* de H. P. Lovecraft quanto de que seu trabalho deve ser desmerecido por usar de temas que permeiam o gênero dos quadrinhos ganharão muita força a partir dessa crítica de Hoffman Hays. E até hoje são suscitadas, principalmente por quem não tem um aprofundado conhecimento de nenhum dos dois autores. Quando se tem um conhecimento do universo de Conan e também daquele criado por Lovecraft é possível identificar, de fato, inspirações, mas ao mesmo tempo apreciar a incrível originalidade de Robert E. Howard.

Muito da caracterização de Hoffman Hays para o suplemento do *The New York Times* revela uma interpretação biografista da obra de Howard que tenta explicar suas criações literárias como compensações de complexos, traumas e frustrações, bem como de projeções dos próprios desejos pessoais de Howard. Teorias críticas estritamente biografistas e psicologizantes estão há muito superadas no âmbito da fortuna crítica exatamente por serem muito limitadas, e tenderem fatalmente a um empobrecimento do próprio objeto de análise que é o texto literário.

Mesmo com uma crítica negativa de peso, como essa realmente foi, a fama de Conan e o legado de Howard voltariam a ganhar força no período Pós-Guerra. Nomes importantes da literatura fantástica e de ficção científica, como o escritor americano Lyon Sprague de Camp, apreciaram muito a obra de Howard, embora frequentemente não se manifestassem com medo de macular sua reputação ao enaltecer uma obra de gênero aparentemente tão baixo. Todavia hoje os véus que cobriam os olhos de quem via Conan apenas como um pastiche de Lovecraft e uma superficial literatura baseada no gosto americano por quadrinhos na primeira metade do século XX devem ser levantados. O exercício mais difícil, mas na mesma medida mais proveitoso, é analisar a obra pelo que ela apresenta, em uma leitura rente com o texto literário. Ao fazer isso, a genialidade de Howard emanará de lugares até então inexplorados: a sua fantástica fusão entre realidade e fantasia, sua geografia elaborada, sua detalhada descrição da diversidade racial do mundo da era hiboriana, entre muitos outros tópicos que elevam sua literatura para níveis muito além do que se poderia imaginar algumas décadas atrás.

"A sombra no Palácio da Morte" é a primeira história a ser publicada de Conan do que convencionou-se chamar de "período intermediário", embora "Sombras de ferro sobre a lua" tenha sido a primeira dessa sequência a ser escrita. Esse período não diz respeito ao tempo da narrativa, mas ao estilo de escrita de Robert E. Howard. O "período intermediário" situa-se no momento da Grande Depressão, contexto histórico que afetou diretamente a produção das obras de Robert E. Howard.

Após a o personagem Conan e sua Era Hiboriana terem caído no gosto do público leitor de *pulp fiction*, Howard identificou os tópicos que mais causaram esse sucesso e construiu uma espécie de fórmula que replicou em suas narrativas para se certificar de que suas histórias, de fato, fossem publicadas pelas revistas e que sua remuneração estivesse garantida durante esse período conturbado. Entre os elementos da fórmula estavam arcaicas ruínas de um tempo muito antigo, uma sensual mulher em perigo iminente, algum tipo de fenômeno sobrenatural a ser combatido e um prazeroso final feliz em que Conan, entrelaçado na mulher supracitada, contemplava um horizonte repleto de aventuras.

# A SOMBRA NO PALÁCIO DA MORTE

## (Xuthal do crepúsculo)

### I

A PODEROSA HISTÓRIA DE UM AVENTUREIRO BÁRBARO E A VORAZ MONSTRUOSIDADE QUE SE ESGUEIRA PELOS CORREDORES ESCUROS DE XUTHAL À PROCURA DE SUA PRESA HUMANA.

O deserto reluzia com as ondas de calor. Conan, o cimério, olhou ao redor, contemplando a dolorosa desolação, e involuntariamente passou as costas da poderosa mão sobre os lábios enegrecidos. Parecia um ídolo de bronze postado ali na areia, dando a impressão de ser imune ao sol devastador, embora sua única vestimenta fosse uma tanga de seda, mantida no lugar por um largo cinturão dourado, do qual pendia um sabre e um punhal de lâmina larga. Nos torneados braços e pernas, havia marcas de ferimentos mal cicatrizados.

Aos seus pés descansava uma jovem que com um dos braços lhe envolvia o joelho, no qual apoiava a cabeça loura. Sua pele alva contrastava com as musculosas pernas bronzeadas do cimério, e sua curta túnica de seda, decotada e sem mangas, era presa na cintura, lhe acentuando ainda mais o corpo formoso.

Conan sacudiu a cabeça, piscando os olhos. O brilho do sol chegava a quase cegá-lo. Ele pegou um cantil no cinturão e o sacudiu, confirmando que não restava muita água no interior.

A moça se mexeu e, inquieta, choramingou:

— Ah, Conan, morreremos aqui! Estou com tanta sede!

O cimério grunhiu algo inteligível, olhando taciturnamente ao redor, com a mandíbula projetada para frente e os olhos azuis ardendo com selvageria sob a cabeleira preta e desgrenhada, como se o deserto fosse um inimigo tangível.

Inclinando-se, levou o cantil aos lábios da moça.

— Beba até que eu mande parar, Natala — ordenou.

Ela bebeu com sofreguidão, e ele não a conteve. Só quando o cantil estava vazio é que ela se deu conta de que ele deliberadamente permitira que bebesse todo o suprimento de água deles, por menor que ele fosse. Lágrimas brotaram nos olhos dela:

— Ah, Conan — choramingou, retorcendo as mãos. — Por que me deixou beber a água toda? Eu não sabia... Agora não resta nada para você.

— Silêncio — rosnou o bárbaro. — Não desperdice as suas forças chorando.

Empertigando-se, ele atirou longe o cantil.

— Por que fez isso? — sussurrou ela.

Ele não respondeu. Permaneceu imóvel, os dedos se cerrando ao redor do punho do sabre. Não estava olhando para a jovem. Os olhos ferozes pareciam perfurar a misteriosa bruma arroxeada ao longe.

Dotado de um selvagem apego à vida e do instinto de preservação dos bárbaros, Conan sabia, no entanto, que naquele momento chegara ao fim de sua trilha. Ainda não alcançara os limites de sua resistência, mas sabia que outro dia sob o sol implacável naquele deserto seco acabaria por abatê-lo. Quanto à moça, já sofrera o suficiente. Melhor uma morte rápida na ponta da espada do que a terrível agonia que a aguardava. Sua sede fora temporariamente saciada. Seria uma falsa misericórdia permitir que ela sofresse até que o delírio e a morte lhe trouxessem alívio. Lentamente, deslizou o sabre para fora da bainha.

Porém, interrompeu o movimento repentinamente, com todos os músculos de seu corpo se retesando. Ao longe, rumo ao sul, algo resplandecia em meios às terríveis ondas de calor.

A princípio pensou se tratar de uma miragem, zombando dele naquele maldito deserto. Fazendo sombra sobre os olhos com uma das mãos, pôde distinguir torres e minaretes rodeadas por muralhas brancas. Observou severamente, esperando que desvanecesse e desaparecesse. Natala parou de soluçar e, com dificuldade, se colocou de joelhos, acompanhando o olhar do cimério.

— É uma cidade, Conan? — murmurou, apavorada demais para nutrir esperanças. — Ou não passa de uma miragem?

O cimério não respondeu por um bom tempo. Piscou várias vezes. Desviou o olhar para longe e o voltou novamente para a cidade. Ela continuava no mesmo lugar.

— Só o diabo sabe — resmungou. — Mas não custa nada tentar.

Ele devolveu o sabre à bainha. Inclinando-se, tomou Natala nos braços poderosos como se a moça não passasse de uma criança. Ela ofereceu fraca resistência.

— Não desperdice a sua força me carregando, Conan — disse. — Eu consigo andar.

— O terreno fica mais acidentado aqui — explicou o cimério. — Suas sandálias logo se romperiam — ele olhou para os calçados da garota. — Além disso, se temos que chegar à cidade, devemos fazê-lo rapidamente. Assim, consigo caminhar mais depressa.

A possibilidade de sobreviver concedeu novo vigor e resistência aos músculos de aço do cimério. Ele marchou sobre as areias quentes como se houvesse acabado de dar início à jornada. Um bárbaro entre bárbaros, Conan tinha uma resistência física a toda prova, que lhe permitia sobreviver em condições que acabariam com qualquer homem civilizado.

Ele e a moça eram, até onde Conan sabia, os únicos sobreviventes do exército do príncipe Almuric, aquela horda heterogênea que, após a derrota do príncipe de Koth, varrera as terras de Sem como uma terrível tempestade de areia e inundara de sangue as terras fronteiriças da Estígia. Com as legiões estígias em seus calcanhares, eles abriram caminho pelos reinos negros de Kush, só para serem aniquilados nos limites do deserto ao sul. Em sua cabeça, Conan comparou o acontecido a uma grande torrente que gradualmente perde força ao seguir para o sul, por fim secando nas areias nuas do deserto. Os ossos de seus combatentes — mercenários, proscritos, homens desesperados e foras da lei — jaziam espalhados ao longo das terras altas de Koth, até as dunas do deserto.

Daquele massacre final, quando os estígios e os kushitas atacaram os sobreviventes encurralados, Conan conseguiu escapar e fugir em um camelo com a moça. Atrás deles estavam as vastas forças inimigas, restando apenas o deserto ao sul como rota de fuga. Sendo assim, adentraram aquela desolação ameaçadora.

A jovem era uma brituniana que Conan encontrara e da qual se apropriara em um mercado de escravos de uma cidade semita conquistada. Ela não tivera a chance de opinar, mas sabia que sua nova situação era muito melhor do que a de qualquer hiboriana em um harém semita, de modo que a aceitou com gratidão. E foi assim que compartilhou as aventuras da horda condenada de Almuric.

Por dias haviam fugido pelo deserto, perseguidos de perto por cavaleiros estígios, tanto que, quando conseguiram despistá-los, não ousaram dar meia-volta. Seguiram em frente em busca de água, até que o camelo morreu. Depois disso, prosseguiram a pé. Durante os últimos dias, o sofrimento fora intenso. Conan protegera Natala o máximo que pudera, e a vida dura no acampamento lhe dera mais força e resistência do que a média das mulheres possuía, mas, mesmo assim, ela não estava muito longe do colapso.

O sol batia ferozmente na revoltada juba de Conan. Ondas de tontura e náusea se apossavam de seu cérebro, mas, cerrando os dentes, ele prosseguiu sem vacilar. Estava convencido de que a cidade era uma realidade e não uma miragem. O que encontrariam lá, não tinha a menor ideia. Os habitantes poderiam ser hostis. Ainda assim, era uma chance de sobrevivência, e isso era tudo o que ele pedia.

❋ ❋ ❋

O sol já estava quase se pondo quando se detiveram diante do enorme portão, gratos pela sombra. Conan depositou Natala de pé no chão e estendeu os braços doloridos. Diante deles, os muros se estendiam até uma altura de dez metros, compostos de uma lisa substância esverdeada que reluzia quase como vidro. Conan passou os olhos pelos parapeitos, esperando ser questionado quanto à sua identidade, mas não avistou ninguém. Impaciente, gritou e bateu no portão com o punho do sabre, mas em resposta escutou apenas meros ecos zombando dele. Natala se aconchegou nele, amedrontada pelo silêncio. Conan experimentou empurrar o portão, mas, ao ver que se abria silenciosamente e devagar, recuou e sacou o sabre. Natala reprimiu uma exclamação de surpresa.

— Ah, olhe, Conan!

Logo após o portão havia um corpo humano. Conan o fitou com os olhos estreitados, depois desviou o olhar para além. Viu uma grande extensão de terreno semelhante a um pátio, rodeado pelas arcadas das entradas das casas, construídas com o mesmo material esverdeado que as muralhas. Essas edificações eram altas, imponentes e coroadas por brilhantes cúpulas e minaretes. Não viu qualquer sinal de vida. No centro do pátio erguia-se o parapeito quadrado de um poço, e a visão empolgou Conan, cuja boca estava revestida de poeira seca do deserto. Tomou Natala pelo pulso e fechou o portão atrás de si.

— Ele está morto? — sussurrou Natala, timidamente apontando para o homem que se encontrava estendido junto ao portão.

O corpo era de um indivíduo grande e forte, aparentemente em seu auge, com pele amarelada e olhos repuxados. Fora isso, o homem não exibia grandes diferenças do tipo hiboriano. Estava usando sandálias com as tiras amarradas ao redor da panturrilha e uma túnica de seda vermelha. De seu cinto pendia uma espada com uma bainha de tecido bordado a ouro. Conan encostou nele. Estava frio. Nenhum sinal de vida em seu corpo.

— Não tem um único ferimento — resmungou o cimério —, mas está tão morto quanto Almuric com quarenta flechas estígias cravadas em seu corpo. Em nome de Crom, vamos ver o poço. Se houver água ali, nós beberemos, mortos ou não.

Havia água no poço, mas eles não beberam. O nível do líquido estava a uns quinze metros de profundidade, e não tinham como retirar a água. Furioso, Conan rosnou uma maldição ao constatar que o líquido estava fora de seu alcance e saiu à procura de algum meio de obtê-lo. Então, um grito vindo de Natala fez com que ele se virasse.

O homem supostamente morto avançava em direção a eles, com os olhos indiscutivelmente ardendo de vida, e a espada curta reluzindo na mão. Conan praguejou de surpresa, mas não perdeu tempo com conjecturas. Recebeu o ataque desembestado com um giro do sabre que cortou carne e ossos. A cabeça do sujeito tombou, e o corpo cambaleou como se estivesse embriagado, com um jato de sangue esguichando da jugular cortada, antes de se juntar à cabeça no chão.

Xingando baixinho, Conan fitou o corpo.

— Esse sujeito não está mais morto do que estava alguns minutos atrás. Em que hospício fomos parar?

Natala, que cobrira os olhos com as mãos ante a visão, espiou por entre os dedos e estremeceu de medo.

— Ah, Conan, será que as pessoas na cidade não vão nos matar por causa disso?

— Bem — rosnou o cimério —, a criatura teria nos matado, se eu não lhe tivesse cortado a cabeça.

Ele olhou para as entradas arqueadas que se abriam nas paredes esverdeadas acima deles. Não percebeu qualquer sinal de movimento, nem escutou qualquer som.

— Não acho que alguém tenha nos visto — murmurou. — Vou esconder as evidências...

Erguendo a carcaça sem vida pelo cinturão com uma das mãos e pegando a cabeça pelos cabelos compridos com a outra, ele carregou meio que arrastando os terríveis restos mortais até o poço.

— Já que não podemos beber essa água, vou providenciar que ninguém mais a beba — sussurrou vingativo. — Maldito seja esse poço!

Ele ergueu o corpo por sobre a beirada e o deixou cair, dando semelhante destino à cabeça logo em seguida. Pôde escutá-los se chocando com a água lá no fundo.

— Tem sangue nas pedras — sussurrou Natala.

— E logo haverá mais, se não encontrarmos água — rosnou o cimério, com suas já parcas reservas de paciência se esgotando.

Tomada de medo, a moça quase se esquecera da sede e da fome, mas o mesmo não podia ser dito de Conan.

— Entraremos por essas portas — disse ele. — Com certeza, não demoraremos a encontrar alguém.

— Ah, Conan — exclamou a jovem, se colando o máximo que pôde nele. — Estou com medo. Esta é uma cidade de fantasmas e homens mortos! Vamos voltar para o deserto. Melhor morrer por lá do que encarando esses horrores!

— Voltaremos para o deserto quando nos atirarem desses muros — rosnou o bárbaro. — Em algum lugar desta cidade deve haver água, e eu vou encontrar, mesmo que, para isso, tenha de matar cada homem que encontrarmos aqui.

— Mas e se eles voltarem à vida?

— Nesse caso, continuarei matando todos até que fiquem mortos — retrucou Conan. — Venha! Aquela porta servirá tão bem quanto qualquer outra! Fique atrás de mim, mas não corra a menos que eu mande.

Ela concordou com um murmúrio e o seguiu tão de perto que chegou a pisar nos calcanhares do bárbaro, para a irritação dele. O crepúsculo caíra, preenchendo a estranha cidade com sombras arroxeadas. Cruzaram a porta aberta e se viram em uma câmara ampla, em cujas paredes estavam penduradas tapeçarias de veludo com intricados detalhes peculiares. O piso, as paredes e o teto eram de pedra verde envidraçada, as paredes decoradas com um friso dourado. Peles e almofadas de cetim se espalhavam pelo chão. Várias aberturas abobadadas levavam a outros aposentos. Eles passaram por elas, e cruzaram diversas câmaras, cópias da primeira. Não viram ninguém, mas o cimério, desconfiado, grunhiu:

— Alguém esteve aqui não faz muito tempo. Este sofá ainda está quente graças ao contato com um corpo humano. Aquela almofada exibe a marca dos quadris de alguém. E há uma ligeira fragrância de perfume pairando no ar.

A atmosfera do lugar era estranha, surreal. Entrar naquele palácio escuro e silencioso foi como ter um sonho provocado pelo ópio. Algumas das câmaras estavam apagadas, e eles preferiram evitá-las. Outras estavam iluminadas por uma luz tênue que parecia vir das joias incrustadas nas paredes, formando estranhos padrões. De repente, quando entravam em uma daquelas habitações, Natala deixou escapulir um grito e agarrou o braço do companheiro. Conan virou-se já blasfemando, virou-se já blasfemando, um inimigo. Espantou-se ao não encontrar nenhum.

— O que foi? — ele disparou. — Se voltar a agarrar assim o meu braço da espada, vou esfolá-la viva. Quer me ver degolado? Por que gritou?

— Veja ali! — trêmula, ela apontou.

Conan grunhiu. Sobre uma lustrosa mesa de ébano havia recipientes dourados, que aparentemente continham comida e bebida. O aposento estava deserto.

— Seja lá para quem for o banquete, ele terá de procurar em outro lugar — rosnou o cimério.

— Será que devemos comer isso, Conan? — perguntou a moça nervosamente. — Pessoas poderão nos surpreender e...

— *Lir an mannanam mac lira* — praguejou ele, agarrando-a pela nuca e empurrando-a sem qualquer cerimônia até uma cadeira dourada no outro extremo da mesa. — Estamos morrendo de fome e você fazendo objeções! Coma!

Ele ocupou a cadeira no outro extremo e pegou uma jarra verde feita de jade, a qual esvaziou com um único gole. O conteúdo era um líquido vermelho semelhante ao vinho de gosto peculiar, porém para sua garganta seca foi como um agradável néctar. Tendo saciado a sede, atacou a comida diante de si com raro prazer. Também achou o sabor estranho: frutas exóticas e carnes desconhecidas. Os recipientes eram de rara qualidade, assim como eram as facas e garfos dourados, devidamente ignorados por Conan, que atacou as carnes com os dedos, destrinchando-as com os dentes fortes. Os bons modos do cimério eram dignos de um lobo. Sua companheira civilizada comia com maior elegância, contudo com semelhante prazer. Conan imaginou que fosse possível que a comida estivesse envenenada, mas isso não lhe reduziu o apetite. Preferia morrer envenenado do que de fome.

Farto, ele se recostou na cadeira com um profundo suspiro de alívio. A comida fresca era evidência de que havia humanos naquela cidade silenciosa e que, talvez, cada canto escuro escondesse um inimigo a espreita. Mas, como tinha plena confiança na própria habilidade como guerreiro, isso não lhe causava apreensão. Começou a se sentir sonolento e considerou a ideia de se estender em um sofá próximo para tirar um cochilo.

O mesmo não ocorreu com Natala. Não estava mais com fome e sede, mas não tinha vontade de dormir. Seus belos olhos estavam arregalados, e ela timidamente olhava na direção dos portais; as fronteiras para o desconhecido. O silêncio e o mistério do estranho lugar a atormentavam. A câmara parecia maior, a mesa mais comprida do que a princípio lhe parecera, e a jovem se deu conta de que estava mais longe de seu taciturno protetor do que gostaria de estar. Levantando-se rapidamente, deu a volta na mesa e se sentou no joelho dele, olhando nervosamente para os portais arqueados. Alguns estavam iluminados, outros não, e era para os apagados que ela olhava mais demoradamente.

— Nós comemos, bebemos e descansamos, Conan. Vamos embora deste lugar. Ele é maligno. Eu posso sentir.

— Bem, até agora, nada de mal nos aconteceu — ele estava começando a dizer quando um suave, porém sinistro, ranger fez com que se virassem. Afastando a jovem dos joelhos, ele se pôs de pé com a rapidez de uma pantera, desembainhando o sabre e olhando para o portal de onde viera o ruído. Ele não voltou a se repetir, e Conan se adiantou silenciosamente. Natala o seguiu com o coração na boca. Sabia que ele suspeitava de algum perigo. O cimério deslizou para a frente com a cabeça afundada entre os ombros gigantescos, olhando para frente como um tigre no meio de uma caça. E ele não fez mais ruído do que o felino teria feito.

Ele se deteve na soleira da porta, com Natala temerosamente espiando por trás dele. Não havia luz no aposento, mas ele era parcialmente iluminado pelo brilho que vinha das costas deles, que se estendia até a câmara seguinte. E naquela câmara puderam ver um homem deitado em um estrado elevado. A luz suave o banhava, e eles viram que se tratava de uma duplicata do homem que Conan matara no pátio lá fora, só que as roupas deste eram mais finas e ornamentadas com joias que reluziam sobre a estranha luz. Estaria morto ou apenas dormindo? Mais uma vez, escutaram aquele ruído sinistro, como se alguém tivesse afastado um cabide para o lado. Conan deu um passo para trás, puxando Natala, que ainda estava colada nele, consigo. Ele cobriu a boca dela com a mão no instante exato para conter um grito.

De onde estavam agora, não conseguiam ver o estrado, mas podiam ver a sombra que ele lançava sobre a parede. Mas então outra sombra cruzou a parede, deixando Conan com os cabelos em pé. Uma enorme mancha preta e disforme. Apesar de destorcida, Conan duvidava já ter visto qualquer homem ou besta que projetasse uma sombra como aquela. Estava consumido de curiosidade, mas algum instinto o manteve imóvel onde estava. Escutou a respiração rápida e ofegante de Natala, cujas pupilas estavam dilatadas. Nenhum outro som perturbou o tenso silêncio. A grande sombra envolveu a do estrado. Durante um longo instante, apenas a mancha preta pôde ser vista na parede. Depois, ela recuou lentamente, e mais uma vez o contorno do estrado pôde ser visto na parede. Mas a figura adormecida desaparecera.

Um gorjeio histérico brotou no fundo da garganta de Natala, e Conan a sacudiu, repreendendo-a. Seu próprio sangue estava congelado nas veias e ele não temia inimigos humanos. Coisas compreensíveis, por mais terríveis que fossem, não provocavam tremores em seu peito largo. Mas aquilo estava além de sua compreensão.

Todavia, após algum tempo, sua curiosidade conquistou a intranquilidade, e ele voltou a se dirigir para a câmara sem iluminação, pronto para qualquer coisa. Passando os olhos pelo interior do recinto, viu que ele estava vazio. O estrado estava exatamente como o vira na primeira vez, exceto pela ausência do homem adornado deitado sobre ele. Todavia, na cobertura de seda reluzia uma única gota de sangue, como se fosse uma enorme joia escarlate. Natala deixou escapar um gritinho abafado ao avistá-la, e Conan não pôde censurá-la. Mais uma vez sentiu a gelada mão do medo. Um homem estivera deitado sobre o estrado, e algo se esgueirara para dentro da câmara e o levara embora. O que era, Conan não fazia ideia, mas uma aura de terror sobrenatural pairava sobre aquelas câmaras mal iluminadas.

Estava pronto para ir embora. Tomando a mão de Natala, deu meia-volta e hesitou. Em algum lugar no interior das câmaras que haviam cruzado, escutou o som de um passo. Um pé humano descalço, ou suavemente calçado, fizera aquele som, e Conan, desconfiado como um lobo, não tardou a tomar outro caminho.

Acreditava poder voltar ao pátio evitando o aposento do qual o som parecera vir.

Contudo, ainda nem haviam cruzado a primeira câmara da nova rota, quando o suave ranger como o de um cabide fez com que subitamente se virassem. Diante de uma alcova acortinada estava um homem que os fitava intensamente.

Era exatamente como os outros que haviam encontrado. Alto, em boa forma, vestindo roupas roxas, com um cinturão cravejado de joias. Não havia surpresa e nem hostilidade nos olhos amarelados. Eram sonhadores como os de um consumidor de lótus. Ele não empunhou a espada curta que trazia na cintura. Após um momento tenso, falou algo, em um tom distante e impessoal, e em um idioma que os ouvintes não entendiam.

Conan arriscou um palpite e respondeu em estígio, e o desconhecido respondeu na mesma língua.

— Quem é você?

— Eu sou Conan, da Ciméria — respondeu o bárbaro. — Esta é Natala, da Britúnia. Que cidade é esta?

O homem não respondeu de imediato. Seu olhar sonhador repousou sobre Natala, e só então ele falou:

— De todas as minhas ricas visões, esta é a mais estranha! Ah, jovem dos cachos dourados, de que longínqua terra dos sonhos você vem? De Andarra, ou Tothra, ou Kuth do cinturão de estrelas?

— Que loucura é essa? — rosnou o cimério, não gostando muito das palavras do homem, tampouco de seus modos.

O outro não lhe deu ouvidos.

— Já sonhei com as mais lindas beldades — murmurou. — Mulheres formosas de cabelos pretos como a noite e olhos cheios de mistério. Mas sua pele é branca como leite e seus olhos claros como a aurora. Tem o frescor e a doçura do mel! Venha para o meu divã, moça dos sonhos.

Ele avançou, estendendo a mão para ela, e Conan a rechaçou com tal força que poderia ter quebrado o braço do estranho.

O homem recuou, agarrando o membro dolorido, seu olhar ficando sombrio.

— Que rebelião de fantasmas é esta? — murmurou ele. — Bárbaro, eu estou ordenando... desapareça! Suma! Extingue-se! Evada-se! Escafeda-se!

— Eu sumirei com a sua cabeça de cima dos ombros! — rosnou o furioso cimério, seu sabre reluzindo na mão. — Essa é a acolhida que dá a estranhos? Por Crom, encharcarei de sangue todos esses tapetes.

A expressão sonhadora desapareceu dos olhos do outro homem, sendo substituída por uma de confusão.

— Thog! — exclamou. — Vocês são reais! De onde vieram? Quem são vocês? O que estão fazendo em Xuthal?

— Viemos do deserto — rosnou Conan. — Chegamos à cidade com o cair da noite, famintos. Encontramos um banquete deixado para alguém e o devoramos. Não tenho dinheiro para pagar por ele. Na minha terra, ninguém nega comida para quem tem fome, mas vocês homens civilizados precisam ter a sua recompensa... se é como todos que eu já conheci. Não fizemos mal algum e estávamos indo embora. Por Crom, não gosto deste lugar, onde homens mortos se levantam, e homens adormecidos desaparecem na barriga das sombras!

Com esse último comentário, o homem fitou o bárbaro com os olhos arregalados, e o rosto amarelado empalideceu.

— O que você falou? Sombras? Na barriga das sombras?

— Bem... — respondeu o cimério, cauteloso. — Seja lá o que for aquilo que tira um homem do estrado onde dorme, deixando para trás apenas uma gota de sangue.

— Você viu? Você viu?

O homem estava tremendo como vara verde, a voz assumindo um tom agudo.

— Apenas um homem dormindo em um estrado, e uma sombra que o envolveu — respondeu Conan.

O efeito daquelas palavras no outro foi horripilante. Com um terrível grito, o homem se virou e saiu correndo da câmara. Na pressa cega, trombou na lateral da porta, se endireitou e fugiu pelas câmaras adjacentes, ainda gritando com todas as suas forças. Surpreso, Conan o acompanhou com o olhar, enquanto a moça trêmula ficava agarrada ao braço do gigante. Não conseguiam mais ver o vulto em fuga, mas ainda podiam escutar os gritos apavorantes que ecoavam nos tetos abobadados e se tornavam menos distintos com a distância. De repente ecoou um grito mais alto do que os outros, e foi interrompido em seguida, restando apenas o silêncio.

— Crom!

Conan enxugou o suor da testa com uma mão que não estava exatamente firme.

— Com certeza é uma cidade de loucos. Vamos dar o fora daqui, antes que encontremos mais loucos!

— Isso é um pesadelo — choramingou Natala. — Estamos mortos e condenados! Nós morremos no deserto lá fora e estamos no inferno! Somos espíritos desencarnados... Aai!

O grito de dor foi resultado de um sonoro tapa desferido pela mão aberta de Conan.

— Quando um tapinha a faz gritar assim, você não é nenhum espírito — comentou ele, com aquele senso de humor macabro que frequentemente se manifestava nas horas mais inoportunas. — Estamos vivos, embora isso possa mudar se continuarmos a vagar por esta cidade assombrada pelo diabo. Venha!

Haviam cruzado apenas outra única câmara quando, mais uma vez, interromperam seu avanço. Alguém, ou alguma coisa, estava se aproximando. Viraram-se na direção do portal de onde viera o som, sem saber bem o que os estava aguardando. As narinas de Conan se alargaram e seus olhos se estreitaram. Sentiu a leve fragrância de perfume que notara antes naquela mesma noite.

Uma figura apareceu emoldurada pelo vão da porta. Conan praguejou baixinho, e Natala ficou boquiaberta.

Ali estava uma mulher olhando-os fascinada. Era alta, esbelta, com as formas de uma deusa, trajando uma estreita cinta cravejada de joias. Uma cascata de cabelos pretos como a noite fazia realçar a brancura de seu corpo alvo. Os olhos escuros, de cílios compridos, continham um extraordinário mistério sensual. Conan conteve a respiração diante de tal beleza, e Natala fitou-a com os olhos arregalados. O cimério jamais tinha visto uma mulher como aquela. Seus traços eram estígios, mas a pele não. Seus braços e pernas pareciam de alabastro.

Quando ela falou, em uma voz profunda e com uma qualidade quase musical, foi no idioma estígio.

— Quem é você? O que está fazendo em Xuthal? Quem é essa garota?

— Quem é você? — indagou por sua vez Conan, que não gostava de responder perguntas.

— Eu sou Thalis, a estígia — respondeu a mulher. — É louco de vir aqui?

— Estou começando a achar que sou. Por Crom, se eu sou são, aqui não é o meu lugar, porque essas pessoas são todas insanas. Saímos do deserto, morrendo de sede e fome, e encontramos um homem morto que tentou me esfaquear pelas costas. Encontramos um palácio rico e luxuoso, aparentemente desabitado. Encontramos uma mesa servida, mas sem ninguém para se deliciar com ela. Depois, vimos uma sombra que devorou um homem adormecido... — Conan notou que o rosto da mulher mudou de cor. — E então? — completou.

— Então, o quê? — retrucou ela, se recompondo.

— Eu estava esperando que fosse sair correndo e berrando como uma selvagem. Foi o que fez o homem para quem falei da sombra.

Ela deu de ombros.

— Então foram esses os gritos que eu escutei. Bom, cada homem tem o destino que merece, e é tolice guinchar como um rato encurralado. Quando Thog me quiser, ele virá me pegar.

— Quem é Thog? — indagou Conan, desconfiado.

Ela lhe lançou um demorado olhar avaliador que chegou a deixar o rosto de Natala corado e fez com que ela mordesse o delicado lábio vermelho.

— Sentem-se ali no divã que eu conto para vocês — falou Thalis. — Mas, primeiro, me digam os seus nomes.

— Eu sou Conan, da Ciméria, e esta é Natala, filha da Britúnia — foi a resposta. — Somos refugiados de um exército destruído nas fronteiras de Kush. Mas eu não tenho vontade de me sentar em um lugar onde sombras podem atacar minhas costas.

Com uma ligeira risada musical, ela se sentou e estendeu as pernas esbeltas com uma tranquilidade calculada.

— Podem ficar à vontade — declarou. — Se Thog desejar, ele os pegará onde quer que estejam. Aquele homem que mencionou, que gritou e correu... não escutaram o último grito dele, antes de se calar? No seu frenesi, deve ter corrido direto para aquilo de que tentava escapar. Ninguém consegue escapar do próprio destino.

Conan grunhiu impassivelmente, mas se sentou na beirada do sofá, com o sabre sobre os joelhos, enquanto examinava com os olhos a câmara, desconfiado. Natala se aninhou nele, abraçando-o de maneira enciumada, com as pernas encolhidas abaixo de si mesma. Ela fitava a desconhecida com desconfiança e ressentimento. Sentia-se pequena e insignificante diante daquela beldade glamorosa, e não havia como interpretar erroneamente os olhos escuros que se banqueteavam com cada detalhe do físico do gigante de bronze.

— Que lugar é este, e quem são essas pessoas? — inquiriu Conan.

— Esta cidade se chama Xuthal. É muito antiga. Foi construída sobre um oásis que os fundadores encontraram em suas andanças. Eles vieram do leste, tanto tempo atrás que nem os seus descendentes lembram quando.

— Com certeza não há muitos deles. O lugar parece vazio.

— Não, e, no entanto, mais do que você pensa. A cidade é realmente um enorme palácio, com cada construção no interior dos muros conectada às outras. Dá para caminhar durante horas no interior dessas câmaras sem ver ninguém. Em outra ocasião, pode encontrar centenas de habitantes.

— Por que isso?

A pergunta deixou evidente a intranquilidade de Conan. Os indícios de feitiçaria eram evidentes demais para ele se sentir à vontade.

— Durante grande parte do tempo, essas pessoas dormem. A vida nos sonhos é tão importante, e, para elas, tão real, quanto a vida quando estão acordados. Já ouviu falar da lótus negra? Ela cresce em certos cantos da cidade. No decorrer das eras, elas têm sido cultivadas. E, em vez da morte, seu sumo induz sonhos maravilhosos e fantásticos. São nesses sonhos que as pessoas que moram aqui passam a maior parte do tempo. Suas vidas são vagas, erráticas e desprovidas de ordem. Elas sonham, acordam, bebem, amam, comem e sonham novamente. Raramente terminam o que começam, deixam as coisas pela metade e retornam para o sono profundo da lótus negra. A refeição que encontraram... Sem dúvida, alguém acordou, sentiu fome, preparou uma refeição para si, depois esqueceu-se dela e voltou aos seus sonhos.

— De onde vem a comida? — interrompeu Conan. — Não vi campos arados nem vinhedos do lado de fora da cidade. Por acaso há hortas e cercados de animais no interior dos muros?

Ela sacudiu a cabeça.

— Eles fabricam a própria comida com elementos primordiais. São grandes cientistas quando não estão sob o efeito da flor dos sonhos. Seus antepassados eram inteligentíssimos; colossos que construíram esta cidade maravilhosa no deserto, e, embora a raça tenha se tornado escrava de suas paixões curiosas, parte de seu conhecimento maravilhoso ainda permanece. Já se perguntaram sobre essas luzes? São joias, fundidas com rádio. Basta esfregá-las com o polegar para fazê-las brilhar, e esfregá-las novamente, no sentido contrário, para apagá-las. Esse é apenas um exemplo da ciência deles. Mas muito já foi esquecido. Eles não se interessam muito pela vida acordada, preferindo passar a maior parte do tempo em um sono semelhante à morte.

— Então, o morto próximo ao portão... — indagou o bárbaro.

— Sem dúvida estava dormindo. A dormência causada pela lótus faz as pessoas parecem mortas. Qualquer movimento é aparentemente suspenso. É impossível detectar o menor sinal de vida. O espírito abandona o corpo e fica vagando por outros mundos exóticos. O homem nos portões é um bom exemplo da irresponsabilidade das vidas dessas pessoas. Ele guardava a entrada, pois a tradição diz que um vigia é sempre necessário, embora nenhum inimigo já houvesse cruzado o deserto. Em outras partes da cidade, poderá encontrar outros guardas, geralmente dormindo tão profundamente quanto o homem do portão.

Conan ponderou essas informações por alguns instantes.

— Onde estão as pessoas agora?

— Espalhadas por outras áreas da cidade, deitadas em sofás, em divãs de seda, em alcovas repletas de almofadas, em estrados cobertos por peles, todos envoltos nos reluzentes véus de sonhos.

Conan sentiu a pele formigar entre os ombros enormes. Não era tranquilizante pensar em centenas de pessoas deitadas, frias e imóveis, por todo aquele palácio, com seus olhares vidrados fitando o infinito. Ele se lembrou de mais uma coisa.

— E quanto à criatura que se esgueira pelas câmaras, que levou embora o homem do estrado?

Um calafrio percorreu os braços de marfim da mulher.

— Aquele era Thog, o Antigo, o deus de Xuthal que habita o domo soterrado no centro da cidade. Ele sempre habitou Xuthal. Se ele veio para cá com os antigos fundadores ou se estava aqui quando construíram a cidade, ninguém sabe. Mas o povo de Xuthal o adora. Passa a maior parte do tempo dormindo embaixo da cidade, porém, às vezes, em intervalos irregulares, ele fica com fome e começa a percorrer corredores secretos e câmaras mal iluminadas, procurando presas.

Natala gemeu horrorizada, apertando com força o poderoso pescoço de Conan, como se resistisse a um esforço para arrastá-la para longe do protetor.

— Crom! — exclamou o bárbaro, chocado. — Está me dizendo que essas pessoas ficam calmamente deitadas, dormindo, enquanto esse demônio caminha por aí?

— Ele só tem fome ocasionalmente — insistiu a mulher. — Um deus precisa ter seus sacrifícios. Quando eu era criança, na Estígia, as pessoas viviam sob a sombra dos sacerdotes. Ninguém sabia quando poderia ser arrastado, ou arrastada, até o altar. Qual é a diferença entre um sacerdote entregar uma vítima para os deuses, e um deus vir buscar uma vítima?

— Esse não é o costume do meu povo — rosnou Conan —, nem do de Natala. Os hiborianos não fazem sacrifícios humanos para o seu deus, Mitra, e, quanto ao meu povo... por Crom, eu queria ver um sacerdote tentando arrastar um cimério para o altar! Sem dúvida haveria derramamento de sangue, mas não como o sacerdote pretendia.

— Você é um bárbaro. — Thalis riu, com um brilho no olhar. — Thog é muito antigo e terrível.

— Essas pessoas devem ser idiotas, ou heróis, para se deitar e sonhar os seus sonhos imbecis, sabendo que poderão acordar na barriga dele.

Ela riu.

— É o que elas conhecem. Por incontáveis gerações, Thog se alimentou delas. Ele foi um dos fatores que reduziu os seus números de milhares para algumas centenas. Mais alguma gerações e estarão extintas, e Thog terá de procurar novas presas mundo afora, ou retornar para o submundo de onde veio há eras.

"Sabem seu destino final, mas são fatalistas, incapazes de resistir ou fugir. Ninguém da geração atual já se aventurou muito além dos muros da cidade. Existe um oásis, há um dia de marcha rumo ao sul... mas faz três gerações que não é visitado por ninguém de Xuthal, tampouco houve tentativas de explorar as terras férteis que segundo os mapas existem a uma distância de mais um dia de marcha além desse oásis. É uma raça que está rapidamente desaparecendo, afogada em sonhos de lótus, estimulando as horas que passam acordados com o vinho dourado que sara as feridas, prolonga a vida e revigora o mais devasso dos libertinos.

"No entanto, se apegam à vida e temem a divindade que adoram. Você viu como um deles pareceu enlouquecer só de saber que Thog estava rondando o palácio. Eu já vi a cidade toda gritando e arrancando os cabelos, correndo freneticamente pelos portões afora, apenas para se amedrontar e tirar a sorte para ver quem seria amarrado e jogado de volta pelos portais arqueados para satisfazer a fome de Thog. Se não estivessem todos dormindo agora, a notícia da vinda dele os faria atravessar os portões externos correndo e berrando."

— Ah, Conan! Vamos fugir! — implorou Natala histericamente.

— Tudo ao seu tempo — murmurou Conan, com os olhos fixos nos braços e pernas de marfim de Thalis. — E o que você, uma mulher estígia, está fazendo aqui?

— Cheguei aqui ainda menina — respondeu a mulher, se reclinando no divã de veludo, entrelaçando os dedos esbeltos atrás da cabeça escura. — Sou filha de um rei, e não uma mulher comum, como pode ver pela minha pele, que é tão clara quanto a da sua amiguinha loura. Fui raptada por um príncipe rebelde, que, com um exército de arqueiros kushitas, avançou rumo ao sul pelo deserto, procurando uma terra para chamar de sua. Ele e todos os seus guerreiros sucumbiram no deserto, mas um deles, antes de perecer, me colocou em um camelo e caminhou ao seu lado até tombar morto. O animal continuou andando, e no final eu, delirante, desmaiei de fome e sede e acordei nesta cidade. Eles me disseram que eu fui avistada das muralhas assim que o dia raiou, desfalecida ao lado de um camelo morto. Eles foram me buscar e me trouxeram para dentro na cidade, onde me acordaram com o seu maravilhoso vinho dourado. Apenas a visão de uma mulher os teria levado a se aventurar para fora de suas muralhas.

"Naturalmente, ficaram muito interessados em mim, especialmente os homens. Como eu não sabia falar o idioma deles, aprenderam a falar o meu. Sendo tão inteligentes, aprenderam a minha língua muito antes de eu aprender a deles. Mas estavam mais interessados em mim do que na minha língua. Tenho sido, e sou, a única coisa pela qual um dos homens deles consegue ignorar seus sonhos de lótus por algum tempo."

Ela riu de forma maliciosa, sugestivamente piscando os olhos audaciosos para Conan.

— É claro, as mulheres têm inveja de mim — prosseguiu ela com uma voz tranquila. — Mesmo com suas peles amareladas, não deixam de ser atraentes, mas são tão sonhadoras e inconstantes quanto os homens, que gostam de mim não apenas pela minha beleza, mas pela minha realidade. Eu não sou um sonho! Embora eu já tenha sonhado os sonhos da lótus, eu sou uma mulher normal, com emoções e desejos terrenos. Contra isso, as mulheres amareladas com olhos de lua não podem competir.

"É por isso que seria melhor você cortar a garganta da garota com o seu sabre, antes que os homens de Xuthal acordem e a peguem. Nas mãos deles, ela passará por coisas com que jamais sequer sonhou! É frágil demais para suportar tudo a que eu sobrevivi. Sou a filha de Luxur, e antes de ter visto quinze verões, eu já havia sido conduzida pelos templos de Derketo, a deusa obscura, e iniciada nos seus mistérios. Não que meus primeiros anos em Xuthal tivessem sido puro prazer! Este povo esqueceu-se de mais coisas do que as sacerdotisas de Derketo jamais saberão. Ele vive apenas pelo prazer. Sonhando ou acordadas, as vidas dessas pessoas são recheadas de êxtases exóticos, além do conhecimento dos homens comuns."

— Malditos degenerados — rosnou Conan.

— Depende do ponto de vista — retrucou Thalis, com um sorriso preguiçoso.

— Bem, só estamos perdendo tempo — afirmou o cimério.

— Vejo que este não é um lugar para mortais comuns. Teremos desaparecido antes que os seus idiotas acordem ou Thog venha nos devorar. Acho que o deserto nos tratará com mais gentileza.

Natala, cujo sangue estava fervendo nas veias por causa das palavras de Thalis, concordou com fervor. Ela falava muito pouco estígio, mas entendia o bastante. Conan se levantou, ajudando-a a fazer o mesmo.

— Se puder nos mostrar a saída mais próxima, nós iremos embora — disse.

Contudo, seus olhos se demoraram nas pernas esbeltas e nos seios de marfim da estígia.

Aquele olhar não passou desapercebido, e a mulher sorriu enigmaticamente ao se levantar com a ágil tranquilidade de uma enorme gata preguiçosa.

— Me sigam — ordenou, mostrando o caminho, ciente do olhar de Conan fixo em seu corpo curvilíneo. Ela não saiu por onde eles haviam entrado, contudo, antes que a desconfiança de Conan fosse despertada, se deteve em uma ampla câmara de paredes de marfim e apontou para um pequeno chafariz gorgolejando no centro do piso de marfim.

— Não quer lavar o seu rosto, criança? — perguntou para Natala. — Está sujo de poeira, que também está entranhada no seu cabelo.

Natala corou ressentidamente com a sugestão de malícia no tom um tanto quanto zombeteiro da estígia, mas obedeceu, perguntando-se miseravelmente quanto dano o sol e o vento do deserto haviam causado em sua pele, uma característica pela qual as mulheres de sua raça eram justamente notadas. Ela se ajoelhou ao lado da fonte, sacudindo seu cabelo e abaixando a túnica até a cintura, antes de começar a enxaguar não só o rosto, mas também os ombros e os braços alvos.

— Por Crom! — resmungou Conan. — Uma mulher pararia para cuidar da beleza mesmo que o próprio diabo estivesse nos seus calcanhares. Rápido, garota. Estará empoeirada novamente antes mesmo que percamos esta cidade de vista. E, Thalis, eu agradeceria se pudesse nos arrumar um pouco de comida e bebida.

Em resposta, Thalis se encostou nele, deslizando um dos braços claros ao redor dos ombros bronzeados do bárbaro. As ancas nuas se colaram à sua coxa, e o perfume de seus cabelos sedosos invadiram narinas dele.

— Por que arriscar o deserto? — sussurrou ela urgentemente. — Fique aqui! Eu lhe ensinarei a viver em Xuthal. Eu o protegerei. Eu o amarei. Você é um homem de verdade. Estou farta desses palermas que suspiram, sonham e acordam, e voltam a sonhar novamente. Anseio a paixão simples e intensa de um homem da terra. A chama dos seus olhos faz com que meu coração acelere, e o toque dos seus braços com músculos de ferro me leva à loucura. Fique aqui! Eu o tornarei o rei de Xuthal! Eu lhe mostrarei todos os antigos mistérios e os caminhos exóticos do prazer!

Ela tinha jogado ambos os braços ao redor do pescoço de Conan e estava postada na ponta dos pés, seu corpo vibrante latejando de encontro ao dele. Por cima dos ombros de marfim dela, Conan avistou Natala jogando para trás os cabelos molhados.

A jovem parou e olhou para ele, seus lindos olhos se dilatando, seus lábios vermelhos se entreabrindo de choque. Com um grunhido constrangido, Conan se libertou dos braços de Thalis e a afastou de si com um dos braços maciços. Ela lançou um olhar rápido na direção da moça brituniana e sorriu enigmaticamente, parecendo assentir para ela com um significado que não ficou claro.

Natala se levantou e ajeitou a túnica com olhos flamejantes, e seus lábios fizeram um biquinho amuado. Conan praguejou baixinho. Sua natureza era tão monogâmica quanto a de qualquer outro soldado da fortuna, mas ele tinha uma decência nata que representava a melhor proteção de Natala.

Thalis não insistiu mais. Sinalizou com a mão para que a seguissem, depois virou e cruzou a câmara. Ali se deteve, ao lado de uma parede com uma tapeçaria. Conan, que a observava, começou a se perguntar se ela não teria escutado os sons que poderiam ter sido feitos por um monstro desconhecido percorrendo as câmaras escuras e se sentiu arrepiar.

— O que está ouvindo? — indagou.

— Vigie a porta — retrucou a estígia, apontando.

Empunhando a espada, ele girou, se deparando apenas com o portal vazio. E então, atrás dele, um ligeiro ruído como algo sendo arrastado ecoou, além de um resfôlego abafado. Ao se virar novamente, o bárbaro viu que Thalis e Natala haviam desaparecido. A tapeçaria estava voltando para seu devido lugar, como se tivesse sido brevemente afastada da parede. Logo em seguida, enquanto ele olhava boquiaberto para a tapeçaria, de trás dela ecoou um grito abafado na voz da jovem brituniana.

## II

**Q**uando Conan se virou, obedecendo ao pedido de Thalis, para vigiar o portal do lado oposto, Natala estivera postada logo atrás dele, perto da estígia. No instante em que o cimério lhe deu as costas, Thalis, com a velocidade quase inacreditável de uma pantera, cobriu a boca de Natala, abafando o grito que ela tentou dar, e simultaneamente envolveu a cintura esbelta da jovem loira com o outro braço. Natala foi puxada na direção da parede que pareceu ceder passagem assim que o ombro de Thalis encostou nela. Uma seção da parede girou para dentro, e, através de uma fenda que se abriu na tapeceira, Thalis recuou com a prisioneira, sumindo de vista no exato instante em que Conan girou novamente para elas.

Foram recebidas por total escuridão quando a porta secreta se fechou. Thalis mexeu ali por um instante, dando a impressão de deslizar um ferrolho para o devido lugar, e para fazer isso teve que, momentaneamente, retirar a mão da boca de Natala. A brituniana começou a gritar a plenos pulmões. A gargalhada de Thalis pareceu mel envenenado na escuridão.

— Pode gritar o quanto quiser, sua tola. Só vai encurtar a sua vida.

Diante da ameaça, Natala se calou, se encolhendo toda trêmula.

— Por que fez isso? — suplicou. — O que vai fazer?

— Vou levá-la por esse corredor abaixo e deixá-la para aquele que, cedo ou tarde, virá buscá-la.

— Ahhhhh! — a voz de Natala irrompeu de terror. — Por que quer me fazer mal? Eu nunca lhe fiz nada.

— Eu quero o seu guerreiro. Você está no meu caminho. Ele me deseja. Dava para ver nos olhos dele. Senão por você, ele concordaria em ficar aqui, e em ser o meu rei. Quando estiver fora do caminho, ele virá comigo.

— Ele vai lhe cortar a garganta — respondeu Natala, com convicção, conhecendo Conan muito melhor do que Thalis.

— Veremos — respondeu a estígia com frieza, confiante no poder que exercia sobre os homens. — De qualquer forma, você jamais saberá se ele vai me degolar ou me beijar, pois será a noiva daquele que habita a escuridão. Venha!

Quase enlouquecida de terror, Natala lutou selvagemente, mas foi inútil. Com uma força ágil que ela não teria acreditado ser possível em uma mulher, Thalis a ergueu e a carregou pelo escuro corredor abaixo, como se Natala não passasse de uma criança. Ela não voltou a gritar, se lembrando das palavras sinistras da estígia. Os únicos sons que ecoavam era a respiração rápida e ofegante dela, e a zombeteira risada lasciva de Thalis. Em seguida, a mão da brituniana se fechou ao redor de algo na escuridão. Era o punhal de cabo encrustado de joias que se projetava da cinta dourada de Thalis. Natala o puxou e golpeou cegamente, com toda a força que conseguiu.

Um grito explodiu dos lábios de Thalis, felino na dor e fúria. Ela cambaleou para trás, e Natala libertou-se de seus braços, ralando a pele macia no piso de pedra. Levantando, ela se adiantou até a parede mais próxima e se encostou ali, ofegante e trêmula, colada na pedra fria. Não conseguia ver Thalis, mas conseguia escutá-la. A estígia com certeza não estava morta. Praguejava sem parar, e sua fúria era tão concentrada e letal que Natala sentiu seus ossos se transformarem em cera, e seu sangue, em gelo.

— Onde está você, sua diabinha? — sussurrou Thalis. — Deixa só eu colocar minhas mãos em você de novo, eu vou...

Natala chegou a ficar nauseada com a descrição do mal que Thalis pretendia infligir na rival. A escolha de palavras da estígia teria envergonhado a mais experiente das cortesãs da Aquilônia.

Natala a escutou tateando no escuro, e, depois, uma luz se acendeu. Fosse qual fosse o medo que Thalis tinha do corredor escuro, sua fúria era maior. A luz vinha de uma das gemas de rádio que adornavam as paredes de Xuthal. Thalis a esfregara, e então ficou ali, banhada pelo brilho avermelhado. Era uma luz diferente das emitidas pelas demais. Uma das mãos apertava a lateral do corpo, e o sangue escorria por entre os dedos. Ela não parecia estar enfraquecida nem seriamente ferida, mas seus olhos reluziam diabolicamente. O pouco de coragem que restava a Natala desapareceu quando ela viu a estígia parada ali sob aquele brilho estranho, com o belo rosto contorcido em uma expressão quase infernal. Ela estava avançando como se fosse uma pantera, afastando a mão da lateral ferida e impacientemente sacudindo o sangue dos dedos. Natala viu que não ferira seriamente a rival. A lâmina se desviara nas joias da cinta de Thalis, resultando apenas em um ferimento superficial, o que só serviu para despertar a fúria da estígia.

— Me dê esse punhal, sua tola! — rosnou Thalis, marchando até a jovem encolhida.

Natala sabia que deveria lutar enquanto tinha a chance, mas simplesmente não conseguiu reunir a coragem. Jamais fora uma grande lutadora, e a escuridão, a violência e o terror de sua aventura a deixaram mental e fisicamente esgotada. Thalis agarrou o punhal de seus dedos sem forças e, com desdém, o jogou longe.

— Sua vagabunda! — falou por entre os dentes cerrados, violentamente esbofeteando a moça. — Antes de eu arrastá-la corredor abaixo e atirá-la nas mandíbulas de Thog, quero eu mesma um pouco do seu sangue! Ousou me esfaquear? Pois bem, a audácia vai lhe custar bem caro!

Agarrando Natala pelos cabelos, Thalis a arrastou corredor abaixo, até a beirada do círculo de luz. Uma argola de metal estava incrustada na parede, em um nível acima da cabeça de um homem.

Dela pendia uma corda de seda. Como em um pesadelo, Natala sentiu a túnica sendo arrancada, e no instante seguinte Thalis lhe ergueu os pulsos e os prendeu à argola, na qual a brituniana ficou pendurada, nua como no dia em que nascera, com os pés mal tocando no chão. Virando a cabeça, Natala viu Thalis pegar um chicote de cabo cravejado de joias de onde ele estava pendurado na parede, próximo à argola. O açoite consistia de sete tiras de tecido, mais duras e ao mesmo tempo mais flexíveis do que tiras de couro.

Com um sibilar de gratificação vingativa, Thalis recuou o braço e Natala gritou quando as tiras lhe cortaram o flanco. A garota torturada se contorcia e se retorcia enquanto puxava agoniada as cordas que lhe aprisionavam os pulsos. Ela se esquecera da ameaça sombria que seus gritos poderiam atrair, e aparentemente Thalis também se esquecera. Cada chibatada arrancava dela gritos de agonia. As açoitadas que Natala recebera nos mercados de escravos semitas não chegavam nem perto de se comparar às que estava recebendo de Thalis. Ela jamais imaginara o poder de castigar das cordas de seda. Os golpes conseguiam ser muito mais dolorosos que ramos de bétula ou tiras de couro e assoviavam venenosamente ao cortar o ar.

Naquele instante, quando Natala girou o rosto marcado de lágrimas para o lado para gritar por misericórdia, algo lhe calou os gritos. Em seus lindos olhos, a agonia foi substituída por um terror paralisante.

Alertada pela expressão dela, Thalis interrompeu o movimento da mão erguida e se virou rápida como um gato. Tarde demais! Um grito apavorante escapou de seus lábios quando ela cambaleou para trás, com os braços erguidos. Natala a viu por um instante, uma figura branca de medo estampada de encontro a uma grande e disforme massa preta que se lançava contra ela. Em seguida, a figura alva foi erguida no ar, a sombra recuou com ela, e Natala ficou pendurada sozinha no círculo de luz difusa, quase desfalecida de horror.

Das sombras escuras vieram sons incompreensíveis e de fazer gelar o sangue. Ela escutou a voz de Thalis suplicando freneticamente, mas não houve resposta. Não houve nenhum outro som além da voz ofegante da estígia, que, de repente, se transformou em gritos de agonia, antes de irromper em uma gargalhada histérica, misturada com soluços. Isso minguou até um ofegar convulsivo, que em seguida também se calou, e um silêncio ainda mais terrível tomou conta do corredor secreto.

Nauseada de horror, Natala se debateu e ousou olhar temerosamente na direção da forma escura que levara Thalis embora. Nada viu, mas pressentiu um perigo invisível, mais terrível do que ela conseguia compreender. Tentou resistir a uma crescente onda de histeria. Seus pulsos feridos e o corpo dolorido foram esquecidos nas presas daquela ameaça que, ela sentia, era uma ameaça não só para o seu corpo, como também para a alma.

Ela forçou a vista ao fitar a escuridão além da borda da luz fraca, tensa com receio do que poderia ver. Um suspiro choroso escapou de seus lábios. A escuridão estava tomando forma. Algo enorme e volumoso cresceu em meio ao vazio. Ela viu a grande cabeça deformada emergir para dentro da luz. Pelo menos supunha que fosse uma cabeça, embora não fosse a extremidade de nenhuma criatura sã e normal. Viu um enorme rosto semelhante a um sapo, cujas feições eram tão indistintas e instáveis como as de um espectro em um espelho de pesadelos. Grandes poças de luz que poderiam ter sido olhos piscaram para ela, e Natala estremeceu diante da face cósmica ali refletida. Nada podia dizer sobre o corpo da criatura. Seu contorno parecia oscilar e se alterar sutilmente sob o olhar da moça, no entanto a substância parecia ser bem sólida. Não havia nada de fantasmagórico nem nebuloso nele.

A criatura veio na direção dela, mas Natala não sabia dizer se caminhava, serpenteava, voava ou se arrastava. Seu método de locomoção estava completamente além da compreensão dela.

Quando o monstro emergiu das sombras, a jovem ainda estava em dúvida quanto à sua natureza. A luz da gema de rádio não a iluminou como teria iluminado uma criatura ordinária. Por mais impossível que pudesse parecer, o ser parecia quase imune à luz. Seus detalhes ainda estavam obscuros e indistintos, mesmo quando se deteve tão próximo que quase encostou em sua pele trêmula. Apenas o rosto piscante, semelhante a um sapo, se destacava com um mínimo de distinção. A coisa era um borrão na vista, uma mancha negra de sombra que a luz normal não dissiparia nem iluminaria.

Natala concluiu que estava louca, pois não sabia se a criatura estava fitando-a de um nível acima ou abaixo dela. Não era capaz de determinar se o indistinto rosto repulsivo piscava para ela das sombras aos seus pés ou se mirava-a de uma imensa altura. Todavia, se sua visão a convencia que, independentemente de suas qualidades mutáveis, ela era composta de substância sólida, seu sentido do tato confirmava tal fato. Um membro escuro semelhante a um tentáculo deslizou ao redor de seu corpo, e ela gritou quando sentiu o toque na pele nua. Não era quente e nem frio, nem áspero e nem liso. Era diferente de qualquer coisa que já a tocara antes, e, diante das carícias, conheceu medos e vergonha com os quais sequer já sonhara. Toda a obscenidade e infame indecência desovada na sujeira dos poços abismais da vida pareciam afogá-la em mares de imundice cósmica. E, nesse instante, soube que, fosse qual fosse a forma de vida que aquela coisa representava, não se tratava de um animal.

Começou a gritar descontroladamente, enquanto o monstro se lançava sobre ela, como se quisesse brutalmente arrancá-la da argola na parede. Foi então que um estrondo soou acima de suas cabeças, e um vulto cortou o ar, pousando no chão de pedra.

## III

Quando Conan deu meia-volta, percebeu que o tapete retornava ao seu lugar e escutou o grito abafado de Natala. Lançou-se contra a parede, rugindo como um leão enfurecido. Recuando com o impacto que teria espatifado os ossos de um homem mais fraco, ele arrancou a tapeçaria, revelando o que parecia ser uma parede lisa. Dominado por uma fúria terrível, Conan ergueu o sabre, como se fosse golpear o mármore, quando um som súbito fez com que se virasse.

Diante dele havia um grupo de indivíduos amarelados, usando túnicas roxas e trazendo espadas curtas nas mãos. Quando Conan se voltou para eles, os homens se lançaram sobre o cimério com gritos hostis. O bárbaro não fez qualquer tentativa de conciliação. Enlouquecido com o desaparecimento da jovem companheira, fez jus à sua fama e contra-atacou.

Um rosnar de gratificação sanguinária brotou em sua garganta quando ele saltou, e o primeiro atacante, sua espada curta tendo um alcance muito menor do que o sabre, tombou com o crânio partido. Girando com agilidade felina, Conan deteve um braço que descia sobre ele, a mão segurando a espada voando pelo ar com uma trilha de gotas vermelhas atrás de si. O cimério não interrompeu o ataque nem vacilou. Um rápido giro fez com que se esquivasse da investida de dois dos espadachins amarelados, e a lâmina de um deles, não acertando o objetivo, foi embainhada no peito do outro.

Um brado de espanto ecoou, e Conan se permitiu uma breve risada ao se desviar do ataque de outro dos homens de Xuthal, que logo tombou com as estranhas se esparramando pelo chão.

Os guerreiros de Xuthal berravam como lobos enlouquecidos. Pouco habituados ao combate, eram ridiculamente lentos e desajeitados comparados ao bárbaro tigrino, cujos movimentos rápidos eram como borrões, possíveis apenas para músculos de aço controlados por um cérebro perfeito para o combate. Eles se empurravam e tropeçavam, prejudicados pelos próprios números. Atacavam rápido e cedo demais, acertando apenas o ar. Conan nunca estava imóvel, tampouco ficava mais de um instante no mesmo lugar, saltando, se esquivando, girando, se abaixando. Era um alvo sempre em movimento para as espadas inimigas, enquanto a própria lâmina curva vibrava a canção de morte.

Todavia, fossem quais fossem seus defeitos, não faltava coragem aos homens de Xuthal. Eles investiram sobre ele, berrando e golpeando, e através dos portais arqueados vinham outros, acordados de seus sonos pelo clamor da batalha.

Conan, sangrando devido a um corte na têmpora, por um instante abriu uma clareira com um giro devastador do sabre ensanguentado e lançou um rápido olhar ao redor, procurando uma rota de fuga. Naquele instante viu a tapeçaria em uma das paredes afastada para o lado, revelando uma estreita escadaria. Ali estava um homem, de olhar vago e piscando os olhos, como se houvesse acabado de acordar e ainda não tivesse conseguido afastar dos pensamentos os últimos vestígios do sono. Para Conan, ver e agir aconteciam simultaneamente.

Um salto o levou intocado através do círculo de espadas golpeantes, na direção da escadaria. Três homens o confrontaram à beira dos degraus de mármore, e o aço do cimério se chocou de maneira ensurdecedora com o deles. Por um instante, as lâminas reluziram como relâmpagos no céu do verão. Depois que os oponentes tombaram, Conan se adiantou até a escada. A horda vindo atrás dele tropeçou nas três figuras contorcidas. Uma delas estava com a cara enterrada em uma poça de sangue, outra com o sangue jorrando da ferida na garganta cortada, e a terceira uivando como um cão moribundo ao agarrar o toco decepado do que já fora seu braço.

Conan subiu correndo pelas escadas de mármore, e o homem no topo despertou de seu torpor, desembainhando a espada, que reluziu geladamente sob a luz de rádio. Vendo o avanço do bárbaro, ele arremeteu a espada para baixo, porém, pressentindo a ponta vindo na direção de sua garganta, Conan se abaixou. A lâmina lhe arranhou a pele das costas, e Conan se endireitou, arremetendo o sabre para cima com toda a força contida em seus poderosos ombros. Foi um ataque tão incrível que o sabre afundou até o punho na barriga do inimigo. Sem sequer desacelerar, Conan se chocou com o corpo sem vida, derrubando-o para o lado. O impacto jogou o cimério para o lado, fazendo-o se chocar contra a parede. O sabre foi arrancado da barriga do homem amarelado, que rolou escada abaixo, seu tronco aberto da virilha até o esterno, com a espinha à mostra. Com as tripas voando pelo ar, o corpo se chocou com os homens que vinham subindo as escadas e os derrubou.

Meio atordoado, Conan se apoiou na parede por um instante, olhando para eles. Depois, desafiadoramente erguendo o sabre ensanguentado no ar, galgou os degraus. Chegando à câmara superior, se deteve apenas tempo o suficiente para constatar que estava vazia. Atrás dele, a horda berrava com tamanha fúria e tanto horror, que Conan se deu conta de que matara alguém importante ali na escada, provavelmente o rei daquela cidade fantástica.

Correu a esmo, sem uma rota planejada. Desesperadamente queria encontrar e socorrer Natala, com a certeza de que estava em sérios apuros. Porém, como estava sendo perseguido pelos guerreiros de Xuthal, podia somente continuar correndo, contando com a sorte para despistá-los e para encontrar a jovem. Naquelas câmaras superiores escuras ou pouco iluminadas, ele rapidamente perdeu o senso de direção, e não foi surpresa que, por fim, tivesse adentrado uma câmara repleta de seus perseguidores.

Eles gritaram vingativamente e avançaram na direção dele, e, com um rosnado de desgosto, Conan girou nos calcanhares, fugindo pelo caminho por onde tinha vindo. Ou pelo menos *pensou* ser o caminho por onde tinha vindo. Todavia, correndo para dentro de uma câmara particularmente ornamentada, o bárbaro se deu conta do erro. Todas as câmaras que adentrara desde que subira a escada estavam vazias. Aquela câmara tinha uma ocupante, que se levantou com um grito ao vê-lo chegar.

Conan viu uma mulher de pele amarelada, nua, exceto por vários ornamentos enfeitados com joias, fitando-o com os olhos arregalados. Ele mal teve tempo de esboçar uma reação antes que ela esticasse a mão e puxasse uma corda de seda que pendia da parede. Em seguida, o chão se abriu sob os pés do bárbaro, e nem mesmo seus incríveis reflexos conseguiram salvá-lo de cair nas profundezas escuras que se abriram abaixo dele.

Sua queda não foi grande, embora tivesse sido o suficiente para quebrar os ossos da perna de um homem que não tivesse músculos como molas de aço e ossos densos como rocha.

Aterrissou como um gato, e a mão na mesma hora se cerrou em torno do punho do sabre. Um grito familiar ecoou em seus ouvidos, e ele girou como uma pantera pronta para dar o bote. Através da juba desgrenhada, Conan avistou a figura alva de Natala se contorcendo nos braços luxuriosos de um pesadelo de trevas que só podia ter saído das entranhas do inferno.

Apenas a visão daquela terrível forma poderia ter paralisado o cimério de medo. Contudo, a proximidade da criatura da jovem fez com que ondas sanguinárias cruzassem o cérebro de Conan. Enxergando vermelho, ele atacou o monstro.

A criatura soltou a moça, girando na direção do adversário, e o sabre enlouquecido do cimério cortou o ar, atravessando a viscosa massa preta e atingindo o piso de pedra, provocando fagulhas azuladas. A fúria do golpe foi tamanha que, não encontrando a esperada resistência, Conan foi jogado de joelhos no chão.

O monstro se avolumou diante dele como uma nuvem escura, que pareceu avançar em sua direção como ondas líquidas, tentando envolvê-lo, engoli-lo. O sabre golpeando loucamente o atravessou várias vezes, e Conan sentiu o contato de um líquido espesso, semelhante ao sangue. Mesmo assim, sua fúria não se abateu.

Ele não sabia se estava enfrentando os braços da criatura, ou se estava enfiando a espada no corpo dela, o qual se remendava após a passagem da lâmina. O cimério foi atirado de um lado para o outro por aquela terrível batalha e, estonteado, teve a sensação de que não estava lutando contra uma única criatura mortífera, mas, sim, com uma coleção delas. O monstro parecia estar mordendo, arranhando, esmagando e o golpeando, tudo ao mesmo tempo. Sentia garras e presas lhe dilacerando a carne, e cabos ao mesmo tempo flexíveis e duros como ferro lhe envolviam os membros e o corpo. E, pior do que isso, algo como um chicote de escorpiões lhe açoitou os ombros, as costas e o peitoral repetidas vezes, rasgando a pele e lhe preenchendo as veias com um veneno semelhante a fogo líquido.

Eles haviam rolado para além do círculo da luz, e o cimério estava batalhando na completa escuridão. Ele conseguiu cravar os dentes, como presas bestiais, na substância mole do adversário, e a coisa revoltante se contorceu como borracha viva em suas mandíbulas de ferro.

Naquela batalha ciclônica estavam rolando um por cima do outro, avançando cada vez mais para o interior do túnel. Conan estava tonto de tanto que estava sendo castigado. Respirava com dificuldade através dos dentes cerrados. Acima dele, viu o enorme rosto semelhante a um sapo, fracamente iluminado pelo brilho esquisito que parecia emanar dele. E, com um último grito que era em parte uma praga, em parte pura agonia, o bárbaro mergulhou para frente em direção da criatura e, com todas as forças que lhe restavam, enterrou o sabre até o punho em algum ponto abaixo do rosto apavorante. Um tremor convulsivo sacudiu a enorme massa preta que envolvia o cimério. Com uma explosão vulcânica de contração e expansão, ela cambaleou para trás, descendo pelo corredor com uma pressa frenética. Conan foi junto, surrado, machucado, invencível, agarrado ao punho do sabre que não conseguiu retirar, golpeando e rasgando a massa trêmula com o punhal na mão esquerda.

A coisa começara a reluzir com um estranho brilho fosforoso, chegando a quase cegar os olhos de Conan. Em seguida, a oscilante massa desapareceu subitamente debaixo dele, e o sabre se soltou e ficou em sua mão, que pairou no ar. Abaixo dele, a forma reluzente do monstro se precipitava para baixo como uma estrela cadente. Ainda meio zonzo, Conan se deu conta de que estava na beirada de um grande poço arredondado, uma beirada de pedra escorregadia. Ficou ali observando o brilho se afastando e ficando cada vez mais fraco, até desaparecer em uma superfície reluzente que parecia estar subindo, vindo ao seu encontro. Por um instante, uma chama bruxuleou naquelas profundezas escuras, depois desapareceu, e Conan ficou ali, mirando a escuridão do abismo derradeiro, de onde nenhum som vinha.

## IV

Lutando em vão contra as cordas de seda que lhe cortavam os pulsos, Natala tentava enxergar algo na escuridão além do círculo de luz. Sua língua parecia estar colada no teto da boca. Vira Conan desaparecer na escuridão, travando um combate mortal com o demônio desconhecido, e os únicos sons a chegarem aos ouvidos dela foram a respiração ofegante do bárbaro, o impacto dos corpos em conflito, e os ruídos dos golpes selvagens. Eles cessaram, e Natala girou vertiginosamente nas cordas, prestes a desmaiar.

O som de passos a despertou horrorizada de sua apatia, e ela viu Conan emergindo da escuridão. Ao vê-lo, reencontrou a voz em um grito que ecoou pelo túnel abobadado. Era assustador ver os maus-tratos a que o cimério fora submetido. Sangue pingava com cada passo que ele dava. O rosto estava esfolado e machucado, como se tivesse sido repetidamente acertado com uma clava. Os lábios estavam inchados, e o sangue escorria pelo rosto de uma ferida no couro cabeludo. Havia cortes profundos nas coxas, nas panturrilhas e nos antebraços, e enormes manchas roxas se espalhavam pelo corpo, devido aos repetidos choques contra o chão de pedra. Mas os que mais haviam sofridos eram os ombros, as costas e os músculos do peitoral. A pele das lacerações estava solta em tiras, como se tivesse sido açoitada por chicotes de arame farpado.

— Ah, Conan — choramingou. — O que aconteceu com você?

Ele não tinha fôlego para falar, mas os lábios esmagados se retorceram no que poderia ter sido um sorriso sombrio quando ele se aproximou dela. O peitoral peludo, reluzindo devido ao sangue e ao suor, oscilava de maneira ofegante. Lentamente, e com certa dificuldade, ele ergueu os braços e cortou as cordas dela, depois caiu de encontro à parede, ficando apoiado ali, com as pernas trêmulas afastadas. Levantando-se de onde caíra, Natala o abraçou freneticamente, enquanto soluçava, histérica:

— Ah, Conan, você está mortalmente ferido. O que vamos fazer?

— Ora — sussurrou o cimério —, não dá para encarar um demônio do inferno achando que vai sair inteiro!

— Onde está a criatura? Você a matou?

— Não sei. Ela caiu em um poço. Estava bastante ferida, mas não sei se pode ser morta pelo aço.

— Ah, as suas pobres costas! — choramingou Natala, apertando as próprias mãos.

— Ela me açoitou com um tentáculo. — Com uma careta, ele praguejou ao se mover. — Me cortou como arame farpado e ardeu como veneno. Mas a pressão me apertando foi o pior de tudo. Parecia uma maldita píton. Não duvido que eu esteja todo esmagado por dentro.

— O que vamos fazer?

Ele olhou para cima. O alçapão se fechara. Nenhum som vinha lá de cima.

— Não dá para voltar pela passagem secreta — murmurou Conan. — A sala está repleta de homens mortos, e sem dúvida deve haver guerreiros de vigia ali. Devem achar que meu destino estava selado quando eu caí pelo chão no andar de cima, ou então não têm coragem de me seguir para dentro deste túnel. Torça aquela gema para fora da parede. Quando eu estava tateando de volta, senti arcos se abrindo para outros túneis. Seguiremos o primeiro que encontrarmos. Pode levar até outro poço, ou ao ar livre. É um risco que temos que correr. Não podemos ficar apodrecendo aqui.

Natala obedeceu, e Conan, segurando o pequeno ponto de luz na mão esquerda e o sabre ensanguentado na outra, começou a avançar pelo corredor. Ele se adiantou devagar, hesitante, apenas sua vitalidade o mantendo de pé. Havia uma expressão vidrada em seus olhos injetados de sangue, e de vez em quando Natala o via involuntariamente lamber os lábios machucados. Sabia que o sofrimento do homem era terrível, mas com a indiferença típica dos bárbaros, ele não se queixava de nada.

Por fim a luz fraca iluminou um arco escuro, e Conan virou para dentro dele. Natala receou o que poderia encontrar ali, mas a luz revelou apenas um túnel semelhante ao que haviam acabado de deixar.

Ela não saberia dizer quanto andaram até encontrar uma comprida escadaria que levava à uma porta de pedra, trancada com um ferrolho dourado.

Olhando para Conan, ela hesitou. O bárbaro mal se aguentava em pé. A luz oscilava na mão trêmula, desenhando sombras incríveis de lá para cá na parede.

— Abra a porta, garota — murmurou ele. — Os homens de Xuthal estarão nos aguardando, e não quero decepcioná-los. Por Crom, esta cidade nunca viu um sacrifício como o que eu farei!

Natala sabia que ele estava meio delirante. Nenhum som vinha do outro lado da porta. Pegando a gema da mão ensanguentada, ela abriu o ferrolho e puxou a porta para dentro, dando de cara com uma tapeçaria de tecido dourado, que afastou com a mão, espiando para fora do túnel com a mão na boca. Deparou-se com uma câmara vazia, no centro da qual estava um chafariz prateado.

A mão pesada de Conan pousou no ombro nu dela.

— Se afaste, garota! Agora é hora das espadas se saciarem.

— Não há ninguém na câmara — respondeu ela. — Mas tem água...

— Eu estou escutando. — Ele lambeu os lábios preteados. — Podemos beber antes de morrer.

Ele parecia não estar enxergando. Ela lhe tomou a mão manchada de preto e o conduziu pela entrada de pedra. Natala avançou na ponta dos pés, esperando que, a qualquer instante, a sala fosse invadida por figuras de pele amarela.

— Beba enquanto eu monto guarda — murmurou Conan.

— Não, eu não estou com sede. Se deite ao lado do chafariz que eu limparei as suas feridas.

— E quanto às espadas de Xuthal?

Ele repetidamente passava o braço diante dos olhos, como se estivesse limpando a visão turva.

— Não escuto ninguém. Está tudo em silêncio.

Tateando, ele se largou ao lado da fonte, mergulhando o rosto no jato cristalino, bebendo como se jamais fosse conseguir se saciar. Quando ergueu a cabeça, havia sanidade nos olhos injetados de sangue, e, a pedido de Natala, Conan estendeu os membros musculosos sobre o chão de mármore, embora mantivesse o sabre à mão e os olhos continuamente se voltassem na direção dos portais. Ela banhou a carne rasgada e enfaixou as feridas mais profundas com tiras rasgadas de uma cortina de seda. Estremeceu ao ver a aparência das costas dele. A pele estava descolorada, mosqueada e com pontos negros e roxos, e onde não estava em carne viva tinha um tom amarelado doentio. Enquanto trabalhava, a brituniana buscava freneticamente por uma solução para seu problema. Se permanecessem onde estavam, uma hora seriam descobertos. Se os homens de Xuthal estivessem vasculhando os palácios atrás deles, mais cedo ou mais tarde seriam encontrados. Não tinha como saber se estavam procurando por eles ou se haviam retornado para seus sonhos.

Quando estava terminando a tarefa, Natala ficou paralisada. Por trás de uma cortina que parcialmente escondia uma alcova, ela avistou uma pequena extensão de pele amarelada.

Sem dizer nada para Conan, ela se levantou e cruzou a câmara com cautela, segurando o punhal do cimério na mão. Seu coração batia forte quando, com todo o cuidado, ela afastou a cortina. No estrado, estava deitada uma jovem mulher de pele amarela, nua e aparentemente sem vida. Em sua mão estava uma jarra de jade quase totalmente cheia de um peculiar líquido de cor dourada. Natala supôs ser o elixir mencionado por Thalis, que concedia vigor e vitalidade aos degenerados de Xuthal. Ela se inclinou por cima da forma inerte e agarrou a jarra, apoiando o punhal no peito da jovem. A moça não despertou.

Com a jarra nas mãos, Natala, se deu conta de que seria mais seguro garantir que a jovem adormecida jamais pudesse acordar e dar o alarme. Mas não conseguiu se forçar a enterrar o punhal do cimério naquele peito imóvel e, por fim, devolveu a cortina ao seu devido lugar e retornou para Conan, que continuava deitado onde ela o deixara, ao que tudo indicava apenas parcialmente consciente.

Ela se curvou e levou a jarra aos lábios dele. O bárbaro bebeu, a princípio mecanicamente, depois com um interesse subitamente despertado. Para a incredulidade dela, ele se sentou e arrancou a jarra das mãos dela. Quando Conan ergueu o rosto, seus olhos estavam límpidos e normais. Muito da expressão fatigada desaparecera do semblante dele, e sua voz não era mais um murmúrio de delírio.

— Crom! Onde foi que conseguiu isto?

Ela apontou.

— Daquela alcova, onde uma jovem amarelada está dormindo.

Ele voltou a beber o líquido dourado.

— Por Crom! — falou com um profundo suspiro. — Sinto vida e força renovadas percorrendo minhas veias como fogo se espalhando por capim seco. Com certeza este é o próprio elixir da vida!

— É melhor voltarmos para o corredor — sugeriu Natala, nervosa. — Seremos descobertos se continuarmos aqui. Podemos nos esconder até as suas feridas sararem.

— Não! Não somos ratos para ficarmos escondidos em cantos escuros. Deixaremos essa cidade do diabo agora mesmo, e ai de quem tentar nos impedir.

— Mas e as suas feridas!?

— Sequer as sinto. Pode ser uma força falsa, concedida pelo licor, mas eu juro que não sinto dor e nem fraqueza.

Com súbito propósito, ele cruzou a câmara até uma janela que ela não havia notado. Por cima do ombro dele, Natala olhou lá para fora. Uma brisa fresca lhe lambeu as mechas douradas. Acima estava o aveludado céu escuro, salpicado de estrelas. Abaixo deles se estendia uma vasta extensão de areia.

— Thalis falou que a cidade era um grande palácio — afirmou Conan. — Evidentemente algumas câmaras são construídas como torres na muralha. Esta é uma delas. O acaso nos favoreceu.

— Como assim? — perguntou a jovem, nervosamente olhando por cima do ombro.

— Tem uma jarra de cristal naquela mesa de marfim — foi a resposta dele. — Encha de água e amarre uma tira daquela cortina rasgada ao redor da boca, fazendo uma alça, enquanto eu rasgo esta tapeçaria.

Ela obedeceu sem questionar e, quando acabou a tarefa, viu Conan amarrando rapidamente as compridas tiras grossas de seda de modo a fazer uma corda, que ele prendeu a uma das pontas na perna da enorme mesa de marfim.

— É preferível nos arriscarmos no deserto — disse ele. — Thalis falou de um oásis, um dia de marcha rumo ao sul. E de terras férteis além dele. Se alcançarmos o oásis, poderemos descansar até as minhas feridas sararem. O vinho parece feitiçaria. Algum tempo atrás, eu mal passava de um homem morto, agora estou pronto para o que der e vier. Sobrou seda o suficiente para você improvisar uma vestimenta.

Natala se esquecera por completo da própria nudez. O fato em si não a incomodava, mas sua pele delicada precisaria de proteção contra o sol do deserto. Enquanto ela amarrava a extensão de seda ao redor do corpo esbelto, Conan se virou na direção da janela e, com um puxão desdenhoso, arrancou as barras douradas que a protegiam. Depois, enrolando a ponta solta da corda de seda ao redor dos quadris de Natala e alertando para que ela se segurasse com ambas as mãos, ele a ergueu através da janela e a abaixou até o chão, cerca de dez metros abaixo. Soltando-se do laço, ela fez sinal para que ele o recolhesse. Em seguida, Conan prendeu as jarras de água e vinho com a corda e as abaixou até ela. Logo depois ele mesmo desceu, deslizando agilmente até o chão.

Quando estava ao lado de Natala, ela suspirou aliviada. Estavam sozinhos no pé da muralha, com as estrelas acima de suas cabeças e o amplo deserto ao seu redor. Que perigos ainda os aguardavam, ela não saberia dizer, mas seu coração cantava com alegria só de estarem fora daquela terrível cidade.

— Eles podem encontrar a corda — resmungou Conan, ajeitando nos ombros as jarras preciosas, estremecendo ante o contato com a pele castigada. — Podem até vir atrás de nós, mas, pelo que Thalis disse, eu duvido muito. O sul fica por ali. — O musculoso braço bronzeado indicou o caminho. — Então, se seguirmos naquela direção, encontraremos o oásis. Venha!

Tomando a mão dela com uma consideração incomum para ele, Conan avançou pelas areias, adequando sua marcha às pernas mais curtas da companheira. Ele não olhou para trás, para a sonhadora e fantasmagórica cidade silenciosa.

— Conan — Natala, por fim, se arriscou a dizer. — Quando você lutou com o monstro, e, mais tarde, quando veio pelo corredor, você viu algum sinal de ... de Thalis?

Ele sacudiu a cabeça.

— Estava escuro no corredor, mas ele estava vazio.

A jovem estremeceu.

— Ela me torturou ... no entanto, sinto pena dela.

— A cidade maldita não foi muito acolhedora conosco — rosnou o cimério. Em seguida, seu estranho senso de humor retornou. — Bom, aposto que não se esquecerão da nossa visita tão cedo. Não há escassez de miolos, de tripas e de sangue para ser lavado dos ladrilhos de mármore, e, se o deus deles ainda estiver vivo, exibe mais feridas do que eu. Até que nos saímos bem. Afinal, temos água, vinho e uma boa chance de alcançarmos um lugar habitável, embora eu pareça ter saído de um moedor de carne, e você estar toda dolorida...

— A culpa é toda sua — interrompeu Natala. — Se não tivesse olhado tão demoradamente e com tanta admiração para aquela meretriz estígia...

— Por Crom e pelos seus demônios! — praguejou Conan. — Quando os oceanos estiverem afogando o mundo, as mulheres ainda encontrarão tempo para ciúmes. Para o diabo com a vaidade delas! Eu, por acaso, falei para a estígia se apaixonar por mim? Afinal de contas, a coitada era apenas humana!

O conto "O poço macabro" foi escrito no início de 1933 e publicado pela primeira vez na edição de outubro de 1933 da revista *Weird Tales*. Nele observamos todos os elementos do período intermediário das narrativas de Conan, com o acréscimo do tema da pirataria, que ronda frequentemente as histórias do bárbaro. Um povo com estranhos ritos, um macabro poço sobrenatural e a bela companheira Sancha são os elementos que compõe essa estranha aventura de Conan.

# O POÇO MACABRO

## I

PARA O OESTE, DESCONHECIDO DO HOMEM,
OS NAVIOS NAVEGAM DESDE O INÍCIO DO MUNDO.
LEIA, SE TIVER CORAGEM, O QUE SKELOS ESCREVEU,
COM MÃOS MORTAS REMEXENDO SEU CASACO DE SEDA;
E SIGA OS NAVIOS PELOS DESTROÇOS LEVADOS PELO VENTO...
SIGA OS NAVIOS QUE NÃO VOLTAM MAIS.

Sancha, originária de Kordava, bocejou delicadamente, esticou com graça seus braços e se acomodou no conforto da seda com franjas de arminho que estava estendida no convés da popa do galeão. Ela estava indiferentemente ciente de que a tripulação a observava, com ardente interesse, desde o convés até o castelo de proa, bem como percebia que o vestido curto de seda escondia pouco os seus contornos voluptuosos daqueles olhos ávidos. Por isso, ela sorriu com insolência e se preparou para cochilar antes que o sol, que começava a projetar sua luz dourada sobre o oceano, ofuscasse seus olhos.

Todavia, naquele instante, chegou aos seus ouvidos um som diferente do ranger da madeira, do ruído do cordame e do quebrar das ondas. Ela se sentou, com olhar fixo na amurada do navio, sobre a qual, para o seu espanto, uma figura encharcada havia escalado. Seus olhos escuros se arregalaram e os lábios vermelhos abriram-se numa interjeição surpresa. A água serpenteava pelos grandes ombros do homem e descia pelos braços fortes. A única vestimenta que usava — calças de seda em um tom de carmesim vivo — estava encharcada, assim como o largo cinto com fivela de ouro e a espada embainhada que carregava. Enquanto ele permanecia sobre a amurada, o sol nascente deu a ele o aspecto de uma enorme estátua de bronze. O sujeito passou os dedos por sua cabeleira preta, e seus olhos azuis brilharam ao ver a garota.

— Quem é você? — inquiriu ela. — De onde veio?

Ele gesticulou em direção do mar, cobrindo um quarto inteiro de bússola, enquanto seus olhos não se afastavam da figura graciosa da garota.

— Você é uma criatura marinha para sair assim do mar? — perguntou a garota, confusa com a franqueza do olhar dele, embora estivesse acostumada a ser admirada.

Antes que ele pudesse responder, passos rápidos foram ouvidos nas tábuas do convés, e logo o capitão do galeão encarava o estranho, cujos dedos apertavam o punho da espada.

— Quem diabos é você, patife? — perguntou ele, em um tom nem um pouco amigável.

— Sou Conan — respondeu o sujeito, impassível.

Sancha apurou os ouvidos novamente. Ela nunca tinha ouvido alguém falar zíngaro com um sotaque tão estranho como o daquele visitante.

— E como conseguiu embarcar no meu navio? — perguntou, com suspeita.

— Nadei.

— Nadou! — exclamou o capitão com raiva. — Cão, está brincando comigo? Estamos muito além da terra firme. De onde você veio?

Conan apontou para o leste com seu braço musculoso e bronzeado, banhado pela brilhante faixa dourada de luz do sol nascente.

— Eu vim das ilhas.

— Oh! — O capitão o encarou com um crescente interesse. Suas sobrancelhas pretas se franziram sobre os olhos carrancudos, e o lábio fino se ergueu de um jeito desagradável.

— Então você é um daqueles cães das Barachas?

Um leve sorriso se formou nos lábios de Conan.

— E você sabe quem sou eu? — inquiriu o capitão.

— Este navio é o *Esbanjador*, então você deve ser Zaporavo.

— Sim!

## O POÇO MACABRO

O fato de aquele homem o conhecer mexeu com a vaidade sombria do capitão. Ele era um homem alto, tão alto quanto Conan, embora mais esguio. Emoldurado por seu morrião de aço, seu rosto era sombrio, entristecido e parecido com o de uma ave de rapina, motivo pelo qual os homens o chamavam de Falcão. Sua armadura e roupas eram ricas e ornamentadas, dignas de um nobre zíngaro. Sua mão nunca se afastava do punho da espada.

Havia pouca benevolência no olhar que ele dirigiu a Conan. Os renegados zíngaros não se davam bem com os bandidos que infestaram as Ilhas Barachas, na costa sul de Zíngara. Em sua maioria, aqueles homens eram marujos de Argos, com alguns de nacionalidades diferentes. Invadiam navios e pilhavam as cidades costeiras da Zíngara igual aos bucaneiros zíngaros; contudo, esses últimos atribuíam alguma dignidade à sua profissão ao chamarem a si próprios de flibusteiros, enquanto diziam que os barachos eram piratas. Eles não foram os primeiros nem os últimos a tornar atraente o título de ladrão.

Alguns desses pensamentos passaram pela cabeça de Zaporavo, enquanto ele brincava com o punho de sua espada e olhava de cara feia para o visitante indesejado. Conan não deixou transparecer nenhuma pista de quais poderiam ser seus próprios pensamentos. Estava parado com os braços cruzados tão calmamente como se estivesse em seu próprio convés; seus lábios sorriam e os olhos eram imperturbáveis.

— O que você está fazendo aqui? — perguntou o flibusteiro abruptamente.

— Achei necessário sair do ponto de encontro em Tortage antes de a lua nascer na noite passada — respondeu Conan. — Parti em um barco furado, remei e fiquei à deriva a noite toda. Bem, quando amanheceu, eu vi suas velas e deixei que aquela banheira miserável afundasse, enquanto eu nadava com rapidez.

— Há tubarões nessas águas — vociferou Zaporavo, ficando ligeiramente irritado com o encolher de ombros que recebeu em resposta.

Ao olhar para o convés do navio, viu uma miríade de rostos ansiosos olhando para cima. Uma única palavra os faria saltar na popa, com uma tempestade de espadas que dominaria até mesmo um guerreiro como aquele estranho parecia ser.

— Por que eu deveria me sobrecarregar com cada vagabundo sem nome que o mar envia? — rosnou Zaporavo, com olhar e atitude mais insultantes do que as próprias palavras.

— Um navio sempre pode se beneficiar com mais um bom marujo — respondeu o outro, sem ressentimento.

Zaporavo franziu o cenho, sabendo que aquela afirmação era verdadeira.

Ele hesitou e, ao fazê-lo, perdeu seu navio, seu comando, sua garota e sua vida. Mas é claro que ele não podia ver o que o futuro lhe reservava e, para ele, Conan era apenas mais um vagabundo, trazido, como ele dizia, pelo mar. O capitão não gostava dele; no entanto, o sujeito ainda não o havia provocado. Seus modos não eram insolentes, embora fossem bem mais confiantes do que Zaporavo gostava de ver.

— Você trabalhará para se sustentar — rosnou o Falcão. — Saia da popa. E lembre-se: a única lei aqui é a minha vontade.

O sorriso pareceu se alargar nos lábios finos de Conan. Sem hesitar, mas sem se apressar, ele se virou e desceu até o convés. Não olhou novamente para Sancha, que, durante aquela breve conversa, o havia observado com ansiedade, com olhos e ouvidos atentos.

Quando chegou ao convés, a tripulação se aglomerou ao redor de Conan: zíngaros, todos eles, seminus, com as vestes espalhafatosas de seda salpicadas de alcatrão, joias brilhando em brincos e cabos de punhais. Eles estavam ansiosos pelo tradicional divertimento de provocar o estranho. Ali, ele seria testado, e seu futuro status na tripulação seria decidido. Na popa, Zaporavo aparentemente já havia se esquecido da existência do forasteiro, mas Sancha o observava, tensa de interesse. Ela estava familiarizada com aquelas cenas e sabia que a provocação seria brutal e provavelmente sangrenta.

Entretanto, sua familiaridade com aqueles assuntos era escassa em comparação com a de Conan. Ele sorriu levemente quando chegou ao convés e viu as ameaçadoras figuras se aglomerando de um jeito truculento ao seu redor. Fez uma pausa e olhou para o círculo de forma inescrutável, sem deixar abalar sua compostura. Havia um certo código de conduta em relação àquelas coisas. Se ele tivesse atacado o capitão, toda a tripulação estaria em cima dele, mas agora os homens lhe dariam uma chance justa contra o escolhido para instigar a briga.

O homem selecionado para tal tarefa se lançou para a frente — um sujeito esguio e musculoso, com uma faixa carmesim amarrada em volta da cabeça como se fosse um turbante. Seu queixo magro se projetava para fora, o rosto cheio de cicatrizes era um desastre inacreditável. Cada olhar, cada movimento arrogante era uma afronta. O jeito com que começou a instigar a briga foi tão primitivo, bruto e grosseiro quanto ele mesmo.

— Barachas, hein? — perguntou ele com desdém. — É onde se cria cães para os homens. Nós, da sociedade, cuspimos neles... assim!

Ele cuspiu no rosto de Conan e agarrou a própria espada.

O movimento do baracho foi rápido demais para ser visto. Seu punho fechado esmagou com um terrível impacto a mandíbula de seu algoz, e o zíngaro foi lançado no ar e caiu como uma massa disforme perto da amurada.

Conan se virou para os outros. Com exceção de um leve brilho nos olhos, sua postura não havia mudado. Entretanto, a briga chegou ao fim tão repentinamente quanto tinha começado.

Os marujos ergueram seu companheiro; a mandíbula quebrada pendia inerte, e a cabeça estava caída de um jeito não natural.

— Por Mitra, o pescoço dele está quebrado! — praguejou um marujo de barba negra.

— Vocês, flibusteiros, são uma raça de ossos fracos — riu o pirata. — Nas Barachas, nem ao menos sentimos uma pancadinha como essa. Algum de vocês vai querer brincar de espada agora? Não? Então está tudo bem e somos amigos, certo?

Não faltaram bocas para concordar que ele dizia a verdade. Braços fortes lançaram o morto por cima da amurada, e uma dúzia de barbatanas de tubarões rasgaram a água enquanto o corpo afundava. Conan riu e abriu os poderosos braços como um enorme gato faria e seu olhar perscrutou o deque superior. Sancha estava debruçada sobre a amurada, os lábios vermelhos entreabertos, os olhos escuros brilhando de tanto interesse. O sol atrás dela delineava sua figura esbelta através da túnica clara que se tornou transparente com o brilho da luz. Então, sobre ela caiu a sombra carrancuda de Zaporavo e uma mão pesada repousou possessivamente sobre seu ombro magro. Havia ameaça e propósito no olhar que ele dirigiu ao homem no convés do navio. Conan sorriu de volta, como se fosse uma brincadeira que ninguém conhecia além dele mesmo.

Zaporavo cometeu o erro que tantos autocratas cometem: sozinho na popa, com sua sombria grandiosidade, ele subestimou o homem que estava abaixo dele. Teve a oportunidade de matar Conan e a deixou passar, absorto em suas próprias contemplações melancólicas. Não era fácil para ele pensar que algum dos homens sob seus pés fosse uma ameaça. Havia permanecido em posições tão altas por tanto tempo e derrubado tantos inimigos aos seus pés que, inconscientemente, assumiu estar acima das conspirações de rivais inferiores.

De fato, Conan não o provocara. Ele se misturou com a tripulação, viveu e se divertiu como eles. Provou ser um habilidoso marujo e, de longe, o homem mais forte que qualquer um deles já tinha visto. Realizava o trabalho de três homens e era sempre o primeiro a aceitar qualquer tarefa pesada ou perigosa. Seus companheiros começaram a confiar nele. Conan não arrumava briga e eles tinham o cuidado de não fazer o mesmo. Ele jogava com os homens, colocando como aposta seu cinto e sua bainha, ganhava seu dinheiro e armas e os devolvia com uma risada. Instintivamente, a tripulação passou a enxergá-lo como o líder do tombadilho. Conan não deu nenhuma informação sobre o que o levara a fugir das Barachas, mas saber que ele era capaz de um ato sangrento a ponto de exilá-lo daquele bando selvagem fez com que aumentasse o respeito que os ferozes flibusteiros sentiam por ele. Com Zaporavo e os companheiros, ele era imperturbavelmente cortês, nunca se valendo de insolência ou submissão.

O tédio era combatido pelo contraste entre o comandante severo, reservado e melancólico e o pirata cuja risada era tempestuosa e pronta, que rugia canções irreverentes em uma dúzia de idiomas, bebia cerveja como um bêbado e, aparentemente, não pensava no amanhã.

Se Zaporavo tivesse conhecimento de que era comparado, mesmo que de forma inconsciente, com um marujo, ele teria ficado atônito e sem palavras de tanta raiva. Contudo, estava absorto em seus pensamentos, que haviam se tornado mais sombrios e cruéis com o passar dos anos, e em seus sonhos grandiosos e imprecisos. Além disso, se preocupava também com a garota, cuja posse era um prazer amargo, assim como todos os seus outros prazeres.

Sancha olhava cada vez mais para o gigante de cabeleira preta que se destacava em meio a seus companheiros no trabalho ou no lazer. Ele nunca havia se dirigido a ela, mas não havia como confundir a franqueza de seu olhar. Ela não se enganou e se perguntou se ousaria realizar o perigoso jogo de iludi-lo.

Não havia muito tempo que ela tinha deixado os palácios de Kordava, mas era como se um mundo de mudanças a separasse da vida que tivera antes de Zaporavo a arrancar aos berros de uma caravela em chamas que seus lobos saquearam. Ela, que tinha sido a filha mimada e amada do duque de Kordava, aprendeu o que era ser o brinquedo de um bucaneiro e, por ser suficientemente flexível para aguentar sem ceder, morava onde outras mulheres morreram; por ser jovem e cheia de vida, passou a encontrar prazer no simples fato de existir.

A vida era incerta, onírica e com fortes contrastes, devido a batalhas, pilhagem, assassinatos e fugas. A raiva de Zaporavo deixava tudo tão incerto quanto a expectativa de vida de um flibusteiro comum. Ninguém sabia quais seriam os próximos planos do capitão. Agora eles haviam deixado para trás todas as costas mapeadas e se lançavam cada vez mais naquele deserto ondulante e desconhecido, geralmente evitado pelos marujos e no qual, desde o início dos tempos, os navios se aventuravam apenas para desaparecer de vista para sempre. Todas as terras conhecidas haviam ficado para trás e, dia após dia, a imensidão azul crescente não trazia nada às suas vistas. Ali não havia pilhagem — nenhuma cidade para saquear nem navios para incendiar. Os homens murmuravam, embora não permitissem que seus comentários chegassem aos ouvidos do implacável capitão, que pisava a popa dia e noite com uma grandiosidade sombria ou examinava mapas amarelados pelo tempo, lendo em tomos que pareciam pergaminhos velhos, comidos por traças. De vez em quando, ele falava com Sancha, parecendo louco, sobre continentes perdidos e ilhas fabulosas a serem descobertas em meio à espuma azul de golfos sem nome, onde dragões com chifres guardavam tesouros acumulados há muito, muito tempo, por reis pré-humanos.

Sem compreender, abraçando seus joelhos finos, Sancha ouvia seus pensamentos constantemente se afastando das palavras do seu companheiro sombrio e se dirigindo a um gigante de bronze de membros bem-torneados, cuja risada era tempestuosa e tão elementar quanto o vento do mar.

Então, depois de muitas semanas exaustivas, eles viram terra firme a oeste e, ao amanhecer, baixaram âncora em uma baía rasa e viram uma praia que era como uma faixa branca que margeava uma extensão de encostas levemente gramadas, camuflada por árvores verdejantes. O vento trouxe aromas de vegetação fresca e especiarias, e Sancha bateu palmas de alegria com a ideia de se aventurar em terra. Contudo, sua avidez se transformou em aborrecimento quando Zaporavo ordenou que ela permanecesse a bordo até que fosse chamada. Ele nunca deu explicação alguma para as suas ordens, então ela nunca descobriu o motivo, a menos que fosse o demônio que vivia escondido dentro dele, o qual frequentemente o fazia magoá-la sem razão.

Com isso, ela se recostou amuada na popa e observou os homens remarem em direção à praia pela água calma que cintilava como jade líquido na luz do sol da manhã. Ela os viu agrupados na areia, desconfiados e com as armas prontas, enquanto vários se dispersaram por entre as árvores que margeavam a praia. Entre eles, ela notou que estava Conan. Não havia como confundir aquela figura alta e morena com seus passos ágeis. Os homens diziam que ele não era um sujeito civilizado, mas um cimério, um daqueles bárbaros que viviam em tribos, nas colinas cinzentas do extremo norte, cujos ataques aterrorizavam os vizinhos do sul. Pelo menos, ela sabia que havia algo sobre ele, uma certa supervitalidade ou barbarismo que o diferenciava de seus companheiros selvagens.

Vozes ecoaram ao longo da costa, enquanto o silêncio tranquilizava os bucaneiros. A aglomeração se dissipou, e os homens se espalharam pela praia em busca de frutas. Sancha os viu subindo e colhendo frutos das árvores, e ela ficou com água na sua linda boca. Ela bateu o pé e praguejou com uma proficiência adquirida pela convivência com seus companheiros blasfemos.

Os homens na praia realmente haviam encontrado frutas e estavam se empanturrando com elas, descobrindo uma desconhecida espécie de casca dourada, particularmente deliciosa. Contudo, Zaporavo não saiu à procura e nem comeu as frutas. Como seus batedores não encontraram nada que indicasse a presença de homens ou feras nos arredores, ele ficou observando o interior, as longas encostas gramadas que se fundiam umas com as outras. Então, depois de uma breve palavra, ele ajustou o cinto da espada e caminhou a passos largos por entre as árvores. Seu imediato protestou contra o fato de ele ir sozinho e foi recompensado com um golpe furioso na boca. Zaporavo tinha seus motivos para querer ir sem ninguém. Desejava saber se aquela ilha era, de fato, a mencionada no misterioso *Livro de Skelos*, no qual, segundo as afirmações de sábios, estranhos monstros guardavam criptas repletas de ouro com hieroglifos esculpidos. Por razões sombrias, ele não queria compartilhar seu conhecimento, caso fosse verdade, com ninguém, muito menos com a própria tripulação.

Observando ansiosamente da popa, Sancha o viu desaparecer naquele refúgio frondoso. Em seguida, ela viu Conan, o baracho, virar-se e olhar brevemente para os homens espalhados pela praia; então o pirata partiu apressado na direção de Zaporavo e também sumiu entre as árvores.

A curiosidade de Sancha se aguçou. Ela esperou que eles reaparecessem, mas isso não aconteceu. Os marujos ainda se moviam a esmo de um lado a outro na praia, e alguns haviam se aventurado para o interior do local. Muitos se deitaram nas sombras para dormir. O tempo passou e ela ficou inquieta e ansiosa. O sol começou a arder mais fortemente, apesar da cobertura que havia no convés da popa. Estava quente, silencioso, terrivelmente monótono ali; a alguns metros de distância, do outro lado de uma faixa de água azul, o mistério fresco e cheio de sombras da praia e daquela campina pontilhada de bosques a chamava. Além disso, o enigma sobre Zaporavo e Conan a tentava.

Sancha conhecia bem a punição por desobedecer ao seu impiedoso capitão e ficou sentada por um certo tempo, contorcendo-se de indecisão. Por fim, decidiu que valia a pena até mesmo uma das chicotadas de Zaporavo, e sem mais demora, tirou as sandálias de couro macio, a túnica e ficou de pé no deque, nua como Eva. Escalando a amurada e descendo pelas correntes, ela deslizou para a água e nadou em direção à praia. Lá ficou por alguns momentos, contorcendo-se com a areia, que fazia cócegas em seus dedinhos dos pés enquanto ela procurava pela tripulação. Viu somente alguns, um tanto afastados da praia. Muitos dormiam profundamente sob as árvores, com pedaços de frutas douradas ainda entre os dedos. Ela se perguntou por que dormiam daquele jeito tão cedo.

Ninguém notou Sancha quando ela cruzou a faixa branca de areia e entrou na sombra da floresta. Ela descobriu que as árvores cresciam em conjuntos irregulares, e entre aqueles bosques se estendiam encostas que pareciam prados. À medida que avançava para o interior, na direção que Zaporavo tomara, ela ficou encantada com as paisagens verdes que se desdobravam suavemente à sua frente, uma encosta suave atrás da outra, coberta com grama verde e pontilhada de arvoredos. Entre elas, havia leves declives, igualmente cobertos. O cenário parecia se fundir em si mesmo, ou um no outro; a vista era singular, ao mesmo tempo ampla e restrita. Acima de tudo, um silêncio onírico pairava como um feitiço.

Então, de repente, ela chegou ao topo de uma encosta, rodeada de árvores altas, e a sensação de conto de fadas desapareceu abruptamente ao ver o que se encontrava sobre a grama avermelhada e pisoteada. Involuntariamente, Sancha gritou e recuou; em seguida, avançou devagar, com os olhos arregalados e os membros trêmulos.

Era Zaporavo que estava deitado na relva, com o olhar vidrado voltado para cima e uma ferida aberta no peito. Sua espada se encontrava perto da mão imóvel. O Falcão havia dado seu último voo.

Não se pode dizer que Sancha olhou para o cadáver de seu senhor sem emoção alguma. Ela não tinha motivos para amá-lo, mas sentiu pelo menos aquilo que qualquer garota sentiria ao se deparar com o corpo do primeiro homem que a possuíra. Ela não chorou nem sentiu vontade para tal, mas foi tomada por um forte tremor, seu sangue pareceu congelar por um instante, e Sancha resistiu a uma onda de histeria.

Ela olhou ao redor à procura do homem que esperava ver. Nada encontrou seus olhos além do círculo formado pelas árvores gigantescas, altas e frondosas e das encostas azuis além delas. Será que o assassino do flibusteiro tinha se esgueirado para longe, mortalmente ferido? Não havia nenhuma trilha de sangue se afastando do cadáver.

Intrigada, ela buscou pelas árvores ao redor, paralisando de medo quando ouviu um farfalhar, que pareceu não ter sido causado pelo vento, entre as folhas cor de esmeralda. Ela seguiu na direção das árvores, observando as profundezas frondosas.

— Conan?

Seu chamado foi em tom investigativo; a voz soou estranha e pequena na vastidão do silêncio que se tornou repentinamente tenso.

Seus joelhos começaram a tremer quando um pânico intenso a invadiu.

— Conan! — gritou ela em desespero. — Sou eu... Sancha! Onde você está? Por favor, Conan...

Sua voz falhou. O pavor inacreditável fez seus olhos castanhos se arregalarem. Os lábios vermelhos se abriram em um grito inarticulado. A paralisia tomou conta de seus membros; quando ela precisava desesperadamente sair correndo, paralisou de medo e não foi capaz de se mover. Ela só podia gritar sem palavras.

## II

**Q**uando Conan viu Zaporavo entrar sozinho na floresta, sentiu que a oportunidade pela qual esperava havia chegado. Não tinha comido frutas nem participado das brincadeiras rudes de seus companheiros; todas as suas faculdades estavam concentradas em vigiar o capitão dos bucaneiros. Acostumados com as mudanças de humor de Zaporavo, seus homens não ficaram particularmente surpresos pelo fato de o capitão decidir explorar sozinho uma ilha desconhecida e, provavelmente, hostil. Eles se voltaram para a própria diversão e não perceberam Conan quando ele saltou como uma pantera atrás do capitão.

Conan não subestimava seu domínio sobre a tripulação. Entretanto, não havia conquistado o direito, por meio de batalha ou pilhagem, de desafiar o capitão para um duelo mortal. Naqueles mares vazios, não houve oportunidade para ele provar o seu valor de acordo com a lei dos flibusteiros. A tripulação ficaria totalmente contra ele se atacasse o capitão de modo deliberado. Todavia, ele sabia que, se matasse Zaporavo sem o conhecimento deles, a tripulação sem líder provavelmente não se comprometeria em ser leal a um sujeito morto. Em grupos assim, somente os vivos contavam.

Então Conan seguiu Zaporavo com a espada em punho e avidez no coração até chegar a um cume plano, rodeado de árvores altas. Por entre os troncos, ele viu as paisagens verdes das encostas se fundindo com a imensidão azul. O capitão, no centro da clareira, sentindo-se perseguido, virou-se com a mão no punho de sua espada.

O bucaneiro praguejou.

— Cão, por que me segue?

— Ainda precisa perguntar? Ficou maluco? — riu Conan, aproximando-se rapidamente do seu antigo chefe.

Seus lábios sorriram e, em seus olhos azuis, dançava um brilho selvagem.

Zaporavo desembainhou sua espada e proferiu uma blasfêmia hostil. Aço se chocou contra aço quando o baracho avançou destemido e de peito aberto, com sua lâmina fazendo um círculo de chamas azuis sobre a sua cabeça.

Zaporavo era veterano de mil lutas por mar e terra. Não havia homem no mundo mais profunda e completamente versado do que ele na arte de usar a espada. Porém, ele nunca foi confrontado por uma lâmina empunhada por guerreiros criados nas terras selvagens que ficavam além das fronteiras da civilização. Contra o seu talento com a espada, ali havia uma velocidade ofuscante e uma força que nenhum homem civilizado poderia ter. O jeito com que Conan lutava era pouco ortodoxo, mas instintivo e natural como o de um lobo. As complexidades da espada eram tão inúteis contra a sua fúria primitiva quanto a habilidade de um boxeador contra os ataques de uma pantera.

Lutando como jamais antes, esforçando-se ao máximo para se desviar da lâmina que tremeluzia como um raio sobre a sua cabeça, em meio ao desespero, Zaporavo levou um golpe perto do cabo da espada e sentiu todo o braço ficar dormente sob o terrível impacto. Aquele golpe foi imediatamente seguido por outro aplicado com tanta força que a ponta afiada da espada rasgou sua cota de malha e suas costelas como papel, perfurando-lhe o coração. Os lábios de Zaporavo se contorceram em uma breve agonia, mas, sombrio até o fim, o capitão não emitiu nenhum som. Estava morto antes mesmo que seu corpo relaxasse na grama pisoteada, onde gotas de sangue brilhavam como rubis espalhados sob o sol.

Conan sacudiu a espada para se livrar das gotas vermelhas, sorriu com um prazer indiferente, espreguiçou-se como um enorme felino... e seu corpo subitamente ficou paralisado, com a expressão de satisfação no rosto sendo substituída por um olhar de perplexidade. Ele ficou inerte como uma estátua, com a espada na mão.

Ao erguer seus olhos do inimigo caído, eles por acaso fitaram as árvores ao redor e as paisagens distantes. Conan tinha visto uma coisa fantástica, algo incrível e inexplicável. Sobre o cume arredondado e suave de uma encosta, caminhava uma figura alta, nua e negra, carregando em seu ombro uma figura branca, igualmente nua. A aparição desapareceu tão repentinamente quanto surgiu, deixando Conan ofegante de surpresa.

O pirata olhou ao seu redor, examinou com incerteza o caminho por onde viera e praguejou. Ele ficou perplexo e um pouco inquieto, se o termo puder ser aplicado a alguém com nervos de aço como ele. Em meio a um ambiente real, embora exótico, uma imagem errante de fantasia e pesadelo foi apresentada. Conan não duvidou de sua visão nem de sua sanidade. Sabia que tinha visto algo estranho e misterioso; o mero fato de uma figura negra correr pela paisagem carregando um prisioneiro branco era bizarro o suficiente, mas aquela figura negra em si era anormalmente alta.

Balançando a cabeça em dúvida, Conan partiu na direção de onde tinha visto a coisa. Ele não refletiu sobre a sabedoria de sua ação; com a curiosidade tão aguçada, não teve escolha a não ser seguir seus impulsos.

Encosta após encosta ele atravessou, cada uma com sua relva uniforme e seus bosques aglomerados. A tendência era o caminho sempre ficar mais íngreme, embora ele subisse e descesse declives suaves com uma regularidade monótona. A sequência de montes arredondados e declives suaves era desconcertante e, aparentemente, interminável. Porém, por fim, ele alcançou o que parecia ser o pico mais alto da ilha e parou ao avistar paredes e torres em verde brilhante, que, mesmo antes de ele chegar até lá, fundiam-se com perfeição ao verde da paisagem a ponto de ser invisível, mesmo para sua visão aguçada.

Ele hesitou, dedilhou a espada e seguiu adiante, mordido pelo bicho da curiosidade. Não viu ninguém quando se aproximou de um arco alto na parede curva. Não havia porta. Espiando com cuidado, ele viu o que parecia ser um amplo pátio aberto, coberto de grama, cercado por uma parede circular feita de uma substância semitranslúcida verde. Vários arcos se abriam a partir dali. Avançando corajosamente, de pés descalços e com a espada em punho, ele escolheu um dos arcos aleatoriamente e passou para outro espaço semelhante. Acima de uma parede interna, viu pináculos de estranhas estruturas que pareciam torres. Uma dessas torres havia sido construída ou projetada no pátio em que ele se encontrava, e uma escadaria ao longo da parede conduzia até ela. Ele subiu, perguntando-se se tudo aquilo era real ou se não estava no meio de um sonho de lótus negra.

No topo da escada, Conan se viu em uma saliência murada, ou um balcão, não sabia ao certo. Agora podia ver mais detalhes das torres, mas elas não faziam sentido para ele. Inquieto, deu-se conta de que nenhum ser humano comum poderia tê-las construído. Havia simetria e método em sua arquitetura, mas era uma simetria louca e um método alheio à sanidade humana. Quanto ao plano de toda a cidade, castelo ou o que quer que fosse aquele lugar, ele podia ver apenas o bastante para ter a impressão de haver um grande número de pátios, a maioria circular, cada qual cercado por sua própria parede e conectado aos demais por arcos abertos, todos aparentemente agrupados ao redor do aglomerado de torres fantásticas que ficava ao centro.

Ao virar-se na direção oposta àquelas torres, ele teve um sobressalto e agachou-se repentinamente atrás do parapeito do balcão, observando com espanto.

O balcão ou saliência era mais alto do que a parede à frente, e ele estava olhando por cima dela na direção de outro pátio gramado. A curva interna da outra parede diferia das demais que ele vira, pois, em vez de ser lisa, parecia marcada por longas linhas ou saliências, cheias de pequenos objetos, cuja natureza ele não conseguia determinar.

Entretanto, Conan não deu muita atenção à parede naquele momento. Sua atenção estava voltada para o grupo de seres que se encontravam agachados em volta de um poço verde-escuro, no meio do pátio. Aquelas criaturas, negras e nuas, se pareciam com homens, mas a menor delas, de pé, teria o pirata mais alto batendo em seus ombros. Eram mais altas do que corpulentas e tinham silhuetas primorosas, sem sinais de deformidade ou anormalidade, a não ser a anormal altura. Contudo, mesmo àquela distância, Conan sentiu o diabolismo primitivo de seus traços.

No centro do grupo, encolhido e nu, estava um jovem que o baracho reconheceu como o marujo mais jovem do *Esbanjador*. Então, era ele o cativo que o pirata viu ser carregado pela encosta gramada. Conan não tinha ouvido nenhum som de luta — não viu manchas de sangue ou lesões nos braços e pernas dos gigantes. Obviamente, o rapaz tinha se afastado de seus companheiros e caminhado para o interior da ilha, onde foi capturado por um dos homens negros à espreita. Em sua mente, Conan chamava as criaturas de homens negros por falta de um termo melhor, mas instintivamente sabia que aqueles seres altos de ébano não eram homens, não como ele entendia o termo.

Nenhum som podia ser ouvido. Os homens negros assentiam e gesticulavam entre si, mas pareciam não falar — não vocalmente, pelo menos. Um deles, agachado diante do rapaz encolhido, segurava uma coisa que parecia uma flauta. Ele a levou aos lábios e, aparentemente, a soprou, embora Conan não ouvisse nenhum som. Entretanto, o jovem zíngaro ouviu ou sentiu algo e que o fez encolher ainda mais. O rapaz estremeceu e se contorceu como se estivesse em agonia. Era possível perceber ele se contorcendo com uma regularidade evidente no torcer dos seus lábios e rapidamente ganhou ritmo. As contorções se transformaram em um espasmo violento, que ganhou movimentos cadenciados. O jovem começou a dançar, como as serpentes fazem compulsoriamente ao som do pífano do faquir. Não havia prazer algum ou alegria naquela dança. Na verdade, era tão incontrolável que era horrível de se ver. Era como se a melodia inaudível da flauta agarrasse a parte mais íntima da alma daquele rapaz com dedos lascivos e, com uma tortura brutal, arrancasse dela toda expressão involuntária de suas paixões secretas. Era uma convulsão obscena, um espasmo lascivo — um derramamento de fomes secretas em forma de compulsão: desejo sem prazer, uma dor terrivelmente associada à luxúria. Era como assistir a uma alma despida, expondo todos os seus segredos mais obscuros e indizíveis.

Conan parecia paralisado de repulsa e trêmulo de náusea. Ele mesmo, tão puramente primitivo como um lobo, não era ignorante em relação aos segredos perversos das civilizações decadentes. Vagara pelas cidades de Zamora e conhecera as mulheres de Shadizar, a Cidade Perversa. Contudo, ali ele sentia uma vileza descomunal que transcendia a mera degeneração humana — um ramo perverso da árvore da vida, desenvolvido ao longo de caminhos além da compreensão do homem. Não foi com as contorções agonizantes ou com a postura do infeliz rapaz que ele ficou chocado, mas com a obscenidade desmedida daqueles seres que poderiam trazer à luz os segredos abismais adormecidos na insondável escuridão da alma humana e encontravam prazer na ostentação descarada de coisas que não deveriam ser sequer sugeridas, até mesmo em pesadelos intermináveis.

Subitamente, o torturador negro largou a flauta e se levantou, elevando-se sobre a figura branca que se contorcia. Agarrando brutalmente o rapaz pelo pescoço e pelo quadril, o gigante o virou de cabeça para baixo e o mergulhou no poço verde. Conan viu o brilho claro do corpo nu do rapaz em meio às águas verdes, enquanto o gigante negro mantinha o prisioneiro sob a superfície. Em seguida, houve um movimento de inquietação entre os outros negros, e Conan se abaixou rapidamente sob a parede do balcão, não se atrevendo a erguer a cabeça para não ser visto.

Depois de certo tempo, sua curiosidade o venceu e ele espiou com cautela. Os negros passavam por um dos arcos em direção a outro pátio. Um deles estava colocando algo em uma saliência da parede oposta, e Conan viu que havia sido aquele que torturara o rapaz. Era mais alto do que os demais e usava uma faixa cravejada de joias em torno da cabeça. Não havia rastros do rapaz zíngaro. O gigante seguiu os companheiros, e Conan os viu emergir da arcada pela qual ele ganhara acesso àquele castelo dos horrores, seguindo em fila na direção de onde ele viera. Os negros não carregavam armas, mas ele sentia que planejavam mais agressões contra os flibusteiros.

Entretanto, antes de ir alertar os inadvertidos bucaneiros, Conan quis investigar o destino do rapaz. Nenhum som perturbava o silêncio. Ele acreditava que as torres e os pátios estavam desertos, exceto pela sua presença.

Conan desceu a escada, atravessou o pátio e passou por um arco rumo à área da qual os negros tinham acabado de sair. Agora ele via a natureza da parede estriada. Era coberta por saliências estreitas, aparentemente talhadas na pedra maciça, e distribuídas ao longo das saliências estavam milhares de figuras minúsculas, a maioria de cor acinzentada. Aquelas figuras, não muito maiores do que a mão de uma pessoa, representavam homens e eram tão habilidosamente feitas que Conan reconheceu várias características raciais nos diferentes ídolos, típicas dos corsários zíngaros, argosseanos, ophirianos e kushitas. Estes últimos eram de coloração negra, assim como seus correspondentes na vida real. Conan sentiu uma ligeira inquietação enquanto olhava para as figuras cegas e mudas. Havia nelas uma imitação da realidade que era, de certo modo, perturbadora. Ele as apalpou com cuidado e não conseguiu discernir de que material eram feitas. Parecia osso petrificado, mas ele não podia imaginar tal substância naquele estado sendo encontrada no local em tanta abundância a ponto de ser usada com tanta extravagância.

Ele percebeu que todas as imagens nas saliências mais altas representavam figuras com as quais estava mais familiarizado. As inferiores eram ocupadas por figuras cujas feições lhe eram desconhecidas. Elas ou personificavam apenas a imaginação dos artistas ou tipificavam raças há muito tempo extintas e esquecidas.

Balançando a cabeça com impaciência, Conan se virou na direção do poço. O pátio circular não oferecia esconderijo. Como o corpo do rapaz não estava à vista, deveria estar no fundo daquelas águas.

Aproximando-se do tranquilo poço verde, ele olhou para a superfície cintilante. Era como olhar através de um vidro espesso da mesma cor e límpido, mas estranhamente ilusório. Sem grandes dimensões, o poço era redondo e bordejado por um anel de jade. Olhando para baixo, ele podia ver o fundo arredondado — o quão fundo, ele não conseguia dizer. Mesmo assim, o poço parecia incrivelmente profundo. Conan sentiu uma certa vertigem ao olhar para baixo, como se encarasse um abismo. Ficou intrigado por ser capaz de ver o fundo, que estava bem ali, sob o seu olhar, mas impossivelmente remoto, ilusivo, sombrio e, ainda assim, visível. Chegou a pensar haver uma leve luminosidade cor de jade aparente nas profundezas, mas não tinha certeza. Entretanto, estava certo de que não havia nada no poço, a não ser sua água cintilante.

Então onde, em nome de Crom, encontrava-se o rapaz que ele vira ser brutalmente afogado naquele poço? Levantando-se, Conan segurou sua espada e olhou ao redor do pátio mais uma vez. Seu olhar se concentrou em um ponto em uma das saliências mais altas. Ele tinha visto o negro alto colocar algo ali, e o suor frio brotou de repente na pele morena do baracho.

Hesitante, mas como se tivesse sido atraído por um ímã, o pirata se aproximou da parede brilhante. Atordoado por uma suspeita monstruosa demais para ser expressa, ele olhou para a última figura naquela saliência. Uma familiaridade horrível se tornou evidente. Petrificadas, imóveis, pequenas e, ainda assim, inconfundíveis, as feições do rapaz zíngaro o encaravam sem vê-lo. Conan recuou, abalado até os alicerces de sua alma. A espada deslizou de sua mão paralisada enquanto ele olhava, boquiaberto e aturdido, para a figura que era abismal e medonha demais para a compreensão de sua mente.

Entretanto, o fato era incontestável. O mistério das pequenas figuras havia sido revelado, embora por trás dele estivesse o segredo mais sombrio e enigmático de sua existência.

# III

Conan não saberia dizer por quanto tempo ficou imerso naqueles pensamentos confusos. Uma voz o tirou de seu transe, uma voz feminina que gritava cada vez mais alto, como se a dona estivesse sendo trazida para mais perto. Conan a reconheceu e sua paralisia desapareceu instantaneamente.

Um salto rápido o levou para cima das saliências estreitas, onde ele se agarrou, chutando para o lado as imagens amontoadas para garantir espaço para os seus pés. Mais um salto e uma escalada, e ele estava agarrado à beira da parede, olhando por cima dela. Era uma das paredes externas, então sua visão dava para o campo verde que circundava o castelo.

Do outro lado da planície gramada, um gigante negro caminhava, carregando uma prisioneira que se contorcia sob o seu braço da mesma forma que um homem carrega uma criança rebelde. Era Sancha, seus cabelos pretos caindo em ondas desgrenhadas, a pele cor de oliva contrastando bruscamente com o ébano viçoso de seu raptor. Ele não dava atenção aos seus gritos e contorções enquanto se dirigia ao arco exterior.

Quando ele desapareceu no interior, Conan saltou com imprudência pela parede e deslizou até o arco que se abria para outro pátio. Lá, agachado, viu o gigante entrar na área do poço, carregando sua prisioneira ainda se contorcendo. Agora ele era capaz de enxergar os detalhes da criatura.

A esplêndida simetria do corpo e dos membros era ainda mais impressionante de perto. Sob a pele de ébano, músculos arredondados se avolumavam, e Conan não tinha dúvidas de que o monstro poderia despedaçar um homem comum membro por membro. As unhas dos dedos também podiam ser consideradas armas, pois eram longas como as garras de uma fera. O rosto era como uma máscara esculpida de ébano. Os olhos eram fulvos, de um tom de ouro vibrante que brilhava e cintilava. Entretanto, as feições faciais eram desumanas; cada traço, cada característica estava marcada com o mal, do tipo que transcende o mal da humanidade. A coisa não era humana — não podia ser; era uma vida que surgira dos fossos da criação blasfema, uma perversão do desenvolvimento evolucionário.

O gigante jogou Sancha na relva, onde ela rastejou, gritando de dor e pavor. Ele olhou ao seu redor como se estivesse incerto, e seus olhos fulvos se estreitaram ao verem as imagens viradas e derrubadas da parede. Em seguida, ele se abaixou, agarrou a prisioneira pelo pescoço e pela virilha e caminhou decididamente até o poço verde. Conan deslizou do arco onde se encontrava e correu como um vento mortal pela relva.

O gigante virou-se, e seus olhos brilharam de raiva ao ver o vingador bronzeado correndo em sua direção. Devido à surpresa do momento, a força cruel com que segurava Sancha diminuiu e ela se desvencilhou de suas mãos, caindo na grama. As mãos com garras estenderam-se para pegá-lo, mas Conan se abaixou e enfiou a espada na virilha do gigante. O negro caiu como uma árvore derrubada, o sangue jorrando; no instante seguinte, Conan foi envolvido pelo abraço frenético de Sancha, que se levantou e o abraçou em um furor de medo e alívio histérico.

Ele praguejou enquanto se desvencilhava, mas seu inimigo já estava morto; os olhos fulvos estavam vidrados, os longos membros de ébano haviam parado de se contorcer.

— Oh, Conan — soluçava Sancha, agarrando-se com firmeza a ele —, o que será de nós? O que são esses monstros? Oh, certamente este lugar é o inferno e aquele era o diabo...

— Então o inferno precisa de um novo diabo — sorriu ferozmente. — Mas como ele conseguiu capturá-la? Eles tomaram o navio?

— Eu não sei.

Sancha tentou enxugar as lágrimas, procurou sua saia e então se lembrou de que não usava nenhuma.

— Eu fui para a praia. Vi você seguir Zaporavo e fui atrás. Eu o encontrei... ele estava... foi você que...

— Quem mais? — resmungou ele. — E então?

— Vi um movimento nas árvores — disse ela, estremecendo.

— Achei que fosse você. Chamei o seu nome... então vi aquilo... aquela criatura negra agachada entre os galhos, olhando para mim de soslaio. Foi como um pesadelo; eu não consegui correr. Tudo que pude fazer foi gritar. Então ele saltou da árvore e me agarrou... Ah!! — Ela escondeu o rosto com as mãos e ficou novamente abalada com a lembrança daquele horror.

— Bem, nós temos que sair daqui — rosnou Conan, pegando-a pelo punho. — Venha, temos que chegar à tripulação...

— A maioria estava dormindo na praia quando entrei na floresta — disse ela.

— Dormindo? — perguntou ele com um tom ofensivo. — Mas que diabos...

— Ouça! — gritou e ficou imóvel, pálida e trêmula de medo.

— Eu ouvi! — vociferou ele. — Um gemido! Espere!

Ele escalou as saliências novamente e, olhando por sobre a parede, praguejou com uma fúria tão intensa que fez até Sancha ofegar. Os negros estavam voltando, mas não sozinhos ou de mãos vazias. Cada um carregava uma forma humana que não oferecia resistência; alguns levavam duas. Seus reféns eram os flibusteiros; eles pendiam frouxamente nos braços de seus raptores e, se não fosse por um leve movimento ocasional ou espasmódico, Conan teria acreditado que estavam todos mortos. Eles haviam sido desarmados, mas não despidos; um dos negros carregava suas espadas embainhadas, uma grande braçada de aço eriçado. Vez ou outra, um dos marujos soltava um grito indefinido, como um bêbado berrando em um sono profundo.

Como um lobo aprisionado, Conan olhou ao seu redor. Três arcos davam saída do pátio do poço. Pelo arco que ficava ao leste, os negros deixaram a área e, por ele, provavelmente retornariam. Ele tinha entrado pelo arco sul. Havia se escondido no arco oeste e não teve tempo de perceber o que havia além dele. Apesar de desconhecer a planta do castelo, o pirata foi forçado a tomar uma decisão de imediato.

Saltando pela parede, ele rearrumou as figuras com uma pressa frenética, arrastou o cadáver de sua vítima para o poço e o jogou dentro. Instantaneamente, o corpo afundou e, quando ele olhou, viu com distinção uma terrível contração — um encolhimento, um enrijecimento. Conan se virou apressado, estremecendo. Em seguida, agarrou o braço de sua companheira e a conduziu rapidamente rumo ao arco sul, enquanto ela implorava para ser informada sobre o que estava acontecendo.

— Eles capturaram a tripulação — respondeu Conan apressadamente. — Não tenho nenhum plano, mas nos esconderemos em algum lugar e assistiremos. Se eles não olharem para o poço, não suspeitarão da nossa presença.

— Mas eles verão o sangue na grama!

— Talvez pensem que um de seus próprios demônios o derramou — replicou ele. — De qualquer forma, teremos de arriscar.

Os dois se encontravam no pátio de onde Conan observara a tortura do rapaz. Ele conduziu Sancha às pressas pela escada que subia na parede sul, forçando-a a se agachar atrás da balaustrada do balcão. Era uma camuflagem ruim, mas a melhor que podiam fazer.

Eles mal haviam se acomodado quando os negros entraram no pátio. Um estrondo ressoou ao pé da escada, e Conan se retesou, agarrando sua espada. Entretanto, os negros passaram por um arco a sudoeste, e ouviu-se uma série de baques e gemidos. Os gigantes estavam jogando suas vítimas no gramado. Os lábios de Sancha se contraíram em histeria, e Conan rapidamente cobriu a boca da garota com a mão, abafando o som antes que pudesse traí-los.

Depois de certo tempo, os dois ouviram o barulho de vários pés na relva abaixo e, então, o silêncio reinou. Conan olhou por cima da parede; o pátio estava vazio. Os negros se encontravam mais uma vez reunidos ao redor do poço na área adjacente, de cócoras. Pareciam não prestar atenção nas grandes manchas de sangue no gramado e na borda de jade do poço. Evidentemente, manchas de sangue não eram algo incomum. Eles nem ao menos olhavam para dentro da água. Estavam absortos em algum inexplicável conclave próprio; o negro alto tocava novamente sua flauta de ouro, e seus companheiros ouviam como estátuas de ébano.

Pegando a mão de Sancha, Conan desceu a escada, agachando-se para que a cabeça não ficasse visível por cima da parede. A garota seguiu contrariada, olhando com medo para o arco que dava para o pátio do lado, mas através do qual, naquele ângulo, nem o poço nem sua multidão sombria se encontravam no campo de visão. Ao pé da escada, estavam as espadas dos zíngaros. O estrondo que ouviram foi das armas capturadas sendo jogadas no chão.

Conan puxou Sancha em direção ao arco sudoeste e, silenciosamente, ambos cruzaram o gramado e entraram no outro pátio. Lá, os flibusteiros jaziam em montes descuidados, com seus bigodes eriçados e os brincos brilhando. Aqui e ali, alguém se mexia ou gemia inquietamente. Conan se abaixou na direção deles, e Sancha se ajoelhou ao seu lado, inclinando-se para frente com as mãos nas coxas.

— O que é esse cheiro doce enjoativo? — perguntou a garota, nervosa. — Está vindo da respiração deles.

— É daquela fruta maldita que eles estavam comendo — respondeu ele, baixinho. — Lembro do cheiro. Deve ter sido como a lótus negra, que faz os homens dormirem. Por Crom, estão começando a acordar... mas estão desarmados, e tenho a

# O POÇO MACABRO

impressão de que aqueles demônios negros não vão esperar muito tempo antes de lançar sua magia sobre eles. Que chances terão, desarmados e tontos de sono?

Ele ponderou por um instante, carrancudo com a intensidade de seus pensamentos. Em seguida, apertou o ombro cor de oliva de Sancha de um jeito que a fez se encolher.

— Ouça! Vou atrair aqueles porcos para outra parte do castelo e mantê-los ocupados por um tempo. Enquanto isso, você acorda esses cretinos e traz as espadas para eles... é uma chance de lutar. Pode fazer isso?

— Eu... eu... não sei! — gaguejou ela, tremendo de medo e mal sabendo o que dizia.

Praguejando, Conan apertou as grossas tranças da garota contra sua cabeça e sacudiu-a até que ficasse atordoada.

— Você deve! — sibilou ele. — É a nossa única chance!

— Farei o meu melhor! — replicou Sancha, ofegante.

Com um grunhido elogioso e um tapa encorajador nas costas que quase a derrubou, ele se afastou para longe.

Alguns momentos depois, Conan estava agachado no arco que dava para o pátio do poço, encarando os inimigos. Eles ainda estavam sentados ao redor da água, mas começavam a demonstrar evidências de uma impaciência maligna. Do pátio onde os piratas despertavam, ele ouviu seus gemidos cada vez mais altos, começando a se misturar com blasfêmias incoerentes. Ele tensionou os músculos e se agachou como uma pantera, respirando tranquilamente entre os dentes.

O gigante cheio de joias se levantou, tirando a flauta dos lábios. Naquele instante, Conan saltou como um tigre entre os gigantes assustados. Da mesma forma que um tigre salta e golpeia sua presa, Conan saltou e atacou: sua lâmina tremeluziu três vezes antes que alguém pudesse erguer uma mão sequer em defesa. Em seguida, ele saltou entre os negros e correu pela relva, deixando atrás de si três dos gigantes com seus crânios rachados.

Mas embora a fúria inesperada de seu ataque tenha pego os gigantes desprevenidos, os sobreviventes se recuperaram rápido o suficiente. Eles estavam em seu encalço enquanto Conan corria através do arco oeste, com suas longas pernas percorrendo o solo em alta velocidade. Contudo, ele se sentia confiante em sua habilidade de mantê-los a distância, mas aquele não era o seu propósito. Pretendia levá-los a uma longa perseguição a fim de garantir tempo para Sancha acordar e armar os zíngaros.

Enquanto Conan corria rumo ao pátio além do arco oeste, ele praguejou. Aquela área era diferente das outras que ele tinha visto. Em vez de ser circular, era octogonal, e o arco pelo qual ele tinha passado era a única entrada ou saída.

Girando o corpo, ele viu que o bando inteiro o seguiu; um grupo se aglomerou no arco, e os demais formaram uma fileira larga conforme se aproximavam. Conan os encarou, recuando lentamente em direção à parede norte. A fileira formou um semicírculo, espalhando-se para cercá-lo. Ele continuou a recuar, mas cada vez mais lento, percebendo que o espaço entre os seus perseguidores aumentava. Eles temiam que o pirata tentasse passar contornando o semicírculo, então alongaram a fileira para evitar que isso acontecesse.

Conan observou com a calma vigilância de um lobo e, quando atacou, o fez com a rapidez devastadora de um raio — bem no centro da formação inimiga. O gigante que barrou sua passagem caiu no chão, partido ao meio até o esterno, e o pirata já se via fora do semicírculo antes mesmo que os demais pudessem prestar socorro ao companheiro ferido. O grupo que se encontrava no arco se preparou para receber seu ataque, mas Conan não o fez. Ele havia se virado e agora observava seus caçadores sem transparecer emoção alguma e, certamente, sem medo.

Desta vez, eles não se espalharam em uma fileira longa. Haviam entendido que era fatal dividir as forças contra uma encarnação de fúria tão arrebatadora e dilacerante. Eles se agruparam em uma massa compacta e avançaram sobre o pirata sem pressa, mantendo a formação.

Conan sabia que se fosse ao encontro daquela massa de músculos, ossos e garras, haveria somente um resultado. Uma vez que permitisse que os negros caíssem sobre ele no chão, onde poderiam alcançá-lo com suas garras e usar seu peso corporal visivelmente maior para obter vantagem, até mesmo sua ferocidade primitiva não prevaleceria. Ele olhou ao redor da parede e viu uma projeção que parecia uma saliência acima de um canto no lado oeste. Não sabia o que era, mas serviria ao seu propósito. Ele começou a recuar na direção daquele canto, e os gigantes avançaram com mais rapidez. É claro, eles pensaram que o estavam encurralando, e Conan encontrou tempo para refletir que provavelmente o viam como um membro de uma raça inferior, mentalmente inferior a eles mesmos. Melhor assim. Nada é mais desastroso do que subestimar o inimigo.

Agora ele se via a apenas alguns metros da parede, e os negros se aproximaram rapidamente, tramando encurralá-lo no canto antes que ele se desse conta de sua situação. O grupo do portão havia abandonado o posto e estava se apressando para se juntar aos seus companheiros. Os gigantes ficaram parcialmente agachados, os olhos brilhando como o fogo dourado do inferno, os dentes reluzindo de tão brancos, as mãos com garras erguidas como para se defender de um ataque. Eles esperavam um movimento abrupto e violento por parte de sua presa, mas, quando aconteceu, pegou-os de surpresa.

Conan ergueu sua espada, deu um passo na direção deles, depois girou o corpo e correu na direção da parede. Com um movimento ágil e o impulso dos músculos de aço, ele disparou no ar e, com o braço esticado, enganchou os dedos na projeção. Instantaneamente, fez-se um estrondo e a saliência cedeu, derrubando o pirata de volta no pátio.

## O POÇO MACABRO

Ele caiu de costas, uma queda que teria rompido todos os seus tendões se não fosse pelo amortecimento da relva, e, recuperando-se como um grande felino, ele enfrentou seus inimigos. A imprudência dançante que havia em seus olhos desapareceu. Eles flamejavam como uma fogueira azul; seus cabelos se eriçaram, os lábios finos rosnaram. Em um instante, a situação mudou de um jogo ousado para uma batalha de vida ou morte, e a natureza selvagem de Conan respondeu com toda a fúria da selva.

Os negros, hesitantes por um momento por conta da rapidez do episódio, agora tentavam atacá-lo e arrastá-lo pelo chão. Porém, naquele instante, um grito quebrou o silêncio. Virando-se, os gigantes viram uma multidão de desclassificados se aglomerando no arco. Os zíngaros cambaleavam parecendo bêbados, xingavam sem coerência; estavam aturdidos e desnorteados, mas agarraram suas espadas e avançaram com uma ferocidade nem um pouco diminuída pelo fato de não entenderem o que estava acontecendo.

Enquanto os gigantes observavam com espanto, Conan gritou estridentemente e os atingiu como um raio mortal. Eles caíram como frutos maduros sob sua lâmina, e os zíngaros, bradando com uma fúria confusa, correram grogues pelo pátio e se lançaram sobre seus gigantescos inimigos com um ardor sanguinário. Ainda se sentiam atordoados; emergindo vagamente do sono entorpecido, eles sentiram Sancha os sacudindo freneticamente e colocando as espadas em seus punhos, e vagamente a ouviram incitando-os a algum tipo de ação. Eles não entenderam tudo o que ela disse, mas a visão de estranhos e sangue escorrendo foi o bastante para os piratas.

Em um instante, o pátio se transformou em um campo de batalha que logo se assemelhou a um matadouro. Os zíngaros ziguezagueavam e se balançavam, mas empunhavam suas espadas com força e efeito, praguejando com intensidade e se esquecendo de todos os ferimentos, com exceção daqueles instantaneamente fatais. Eles superavam os gigantes em número, mas estes não se mostraram ser inimigos medíocres. Bem mais altos do que seus agressores, eles provocaram uma devastação à base de garras e dentes, dilacerando as gargantas dos homens e desferindo golpes com os punhos cerrados que esmagavam crânios. Embolados e misturados naquele combate, os piratas não podiam utilizar sua agilidade superior da melhor forma possível, e muitos deles estavam grogues demais por conta do torpor do sono para evitar os golpes que lhe eram direcionados. Eles lutaram com uma ferocidade cega e bestial, com a certeza de que precisavam matar para não morrer. O som das espadas sendo brandidas era como o dos cutelos de um açougueiro, e os urros, gritos e xingamentos eram apavorantes.

Encolhendo-se no arco, Sancha ficou aturdida com o barulho e a fúria. Ela teve uma noção arrebatadora do caos atordoante no qual o aço das espadas cintilava e cortava, braços eram agitados, expressões raivosas apareciam e desapareciam e corpos em luta colidiam, recuavam, agarravam-se e se misturavam em uma dança demoníaca de loucura.

Os detalhes se destacaram brevemente como gravuras pretas em um fundo de sangue. Ela viu um marujo zíngaro, com os olhos cobertos por uma grande dobra do próprio escalpo, que havia sido rasgado e agora pendia sobre eles, sentar-se no chão com as pernas abertas e enfiar a espada até o punho em uma barriga negra. Ela ouviu com distinção o bucaneiro grunhir ao atacar e viu os olhos fulvos da vítima se revirarem em sinal de repentina agonia; sangue e entranhas se derramaram sobre a lâmina cravada. O gigante moribundo agarrou a espada com as mãos nuas, e o marujo a puxou cega e estupidamente. Em seguida, um braço negro se enganchou ao redor da cabeça do zíngaro, e um joelho da mesma cor foi cravado com força cruel no meio das suas costas. Sua cabeça pendeu para trás em um ângulo terrível, e o som de algo estalando foi mais alto do que o da luta, como se fosse um galho espesso se partindo.

## O POÇO MACABRO

O conquistador jogou o corpo de sua vítima no chão — e, quando o fez, algo como um feixe de luz azul passou atrás dos seus ombros, da direita para a esquerda. Ele cambaleou, a cabeça tombou para frente e sobre o peito e, então, caiu de forma horrenda no chão. Sancha ficou enjoada, engasgou e sentiu vontade de vomitar. Infrutiferamente, ela tentou se virar e fugir daquele horror, mas suas pernas não obedeceram. Ela também não conseguia fechar os olhos. Na verdade, a garota os abriu mais ainda. Estava revoltada, enojada, nauseada e, ainda assim, sentia o terrível fascínio que sempre experimentava ao ver sangue. Entretanto, aquela batalha transcendia tudo o que ela já tinha visto em ataques a portos ou batalhas em alto mar. Então ela viu Conan.

Separado de seus companheiros por todo o contigente inimigo, Conan foi envolvido e arrastado por uma onda de braços e corpos negros. Teria sido pisoteado rapidamente até a morte, se não tivesse arrastado um deles consigo, usando seu corpo para protegê-lo dos ataques. Eles chutavam e batiam, enquanto tentavam arrancar seu colega de cima; contudo, com os dentes crispados desesperadamente na garganta do gigante, Conan se agarrava obstinadamente ao seu escudo.

Um ataque violento dos zíngaros diminui a pressão, e Conan jogou o cadáver para o lado e se levantou, manchado de sangue e parecendo ameaçador. Os gigantes se erguiam acima dele como enormes sombras, agarrando e dando murros no ar com golpes terríveis. Porém, ele era tão difícil de ser acertado ou agarrado quanto uma pantera sedenta por sangue, e, a cada volta ou lampejo da lâmina de sua espada, sangue jorrava. Ele já havia recebido punição o bastante por matar três sujeitos ordinários, mas sua vitalidade de touro não diminuía.

Seu grito de guerra se elevou acima da confusão da carnificina, e os zíngaros aturdidos, mas furiosos, recuperaram o ânimo e redobraram seus golpes, até que o dilacerar de carne e o esmagar de ossos sob as espadas quase abafou os uivos de dor e ira.

Os negros titubearam e correram para o arco, e Sancha gritou quando eles se aproximaram e saiu correndo do caminho. Os gigantes ficaram presos na passagem, e os zíngaros esfaquearam e golpearam suas costas com gritos estridentes de alegria. O arco estava em frangalhos antes que os sobreviventes conseguissem atravessar e dispersar, cada um por si.

A batalha se tornou uma perseguição. Atravessando pátios gramados, subindo escadarias brilhantes, passando pelos telhados inclinados das fantásticas torres e até mesmo ao longo das largas paredes, os gigantes fugiram, pingando sangue a cada passo, atormentados por seus perseguidores implacáveis e sem misericórdia. Encurralados, alguns deles voltaram-se para lutar, e homens morreram. Porém, o resultado final era sempre o mesmo — um corpo negro mutilado se contorcendo na relva ou arremessado, enquanto se retorcia, do parapeito ou do telhado da torre.

Sancha havia se refugiado no pátio do poço, onde ficou agachada, tremendo de pavor. Do lado de fora, ouviam-se gritos ferozes, pés batiam na relva e, através do arco, apareceu uma figura negra manchada de vermelho. Era o gigante que usava a faixa de joias na cabeça. Um perseguidor estava logo atrás do gigante, e este se virou, bem na beira do poço. Em sua extremidade, ele pegou uma espada que fora largada por um marujo moribundo e, quando o zíngaro avançou com imprudência contra ele, atacou-o com a arma desconhecida. O pirata caiu no chão com o crânio esmagado, mas o golpe foi desferido com tanta estranheza que a lâmina tremeu na mão do gigante.

Ele atirou a espada em direção às figuras que se aglomeravam no arco e correu para o poço, com o rosto parecendo uma máscara convulsionada de ódio.

Conan irrompeu em meio aos homens no portão, e seus pés arrancaram a relva em seu ataque impetuoso.

## O POÇO MACABRO

Todavia, o gigante abriu seus braços enormes e de seus lábios saiu um grito desumano — o único som emitido por um dos negros durante toda a luta. Para o céu, ele gritou seu terrível ódio; era como uma voz uivando dos fossos. Ao ouvirem aquilo, os zíngaros hesitaram. Entretanto, Conan não se deteve. Silenciosa e sanguinariamente, ele se dirigiu à figura de ébano, que se equilibrava na margem do poço.

Mas, no momento em que Conan ergueu sua espada ensanguentada no ar, o negro girou o corpo e saltou bem alto. Por um instante, eles o viram pairar sobre o poço; em seguida, com um rugido de estremecer a terra, as águas verdes subiram e foram ao seu encontro, envolvendo-o em um vulcão de jade.

Conan conseguiu reprimir sua corrida impetuosa a tempo de não cair no poço e deu um salto para trás, afastando seus homens, com movimentos poderosos com os braços. O poço verde agora parecia um gêiser, cujo ruído aumentava de forma ensurdecedora enquanto a grande coluna de água se erguia cada vez mais, com uma enorme coroa de espuma florescendo em sua crista.

Conan estava conduzindo seus homens ao arco, reunindo-os à sua frente, batendo neles com a parte plana de sua espada; o rugido da água parecia ter afetado as faculdades de todos eles. Ao ver Sancha paralisada, assistindo com olhos arregalados de pavor a coluna borbulhante, ele a abordou com um berro que foi mais alto que o estrondo da água e a retirou do torpor. Ela correu para ele, os braços estendidos, ele a segurou debaixo de um braço e correu para fora do pátio.

Na área que se abria para o mundo exterior, os sobreviventes se reuniram, exaustos, maltrapilhos, feridos e sujos de sangue, e ficaram boquiabertos diante da grande coluna de água instável, que se elevava cada vez mais próxima da abóbada azul do céu. Seu corpo verde era mesclado com branco; sua coroa de espuma tinha três vezes a circunferência de sua base. Por um instante, a coisa toda ameaçou explodir e cair em uma torrente inundante, mas continuou a subir na direção do céu.

Os olhos de Conan varreram o grupo ensanguentado, e o pirata praguejou ao ver apenas vinte companheiros. No estresse do momento, ele agarrou um corsário pelo pescoço e o sacudiu com tanta violência que o sangue das feridas do homem respingou perto de todos.

— Onde estão os outros? — gritou Conan no ouvido de sua vítima.

— Estamos todos aqui! — gritou o corsário em resposta, acima do barulho do gêiser. — Os outros foram mortos...

— Bem, saia já daqui! — rugiu o baracho, dando-lhe um empurrão que o fez cambalear na direção do arco externo. — Essa coluna de água vai explodir a qualquer momento...

— Todos nos afogaremos!!! — gritou um flibusteiro, mancando na direção do arco.

— O diabo que iremos — replicou Conan também gritando. — Nós seremos transformados em figuras de osso petrificado! Saia, inferno!

Ele correu para o arco externo, um olho na coluna verde e estrondosa que se erguia tão terrivelmente sobre ele, o outro nos retardatários. Confusos pela sede de sangue, pela luta e pelo barulho estrondoso, alguns dos zíngaros se moviam como homens em transe. Conan os apressou; seu método era simples: ele agarrava os atrasados pela nuca, empurrava-os violentamente pela passagem e dava mais um impulso com um chute vigoroso no traseiro deles, incentivando a pressa com comentários pungentes sobre a linhagem da vítima. Sancha demonstrou vontade de ficar com ele, mas Conan afastou os braços entrelaçados da garota, praguejando alto, e acelerou os movimentos dela com um tremendo tapa em seu traseiro que a fez disparar pelo planalto.

Conan não deixou o arco até ter certeza de que todos os seus homens que ainda estavam vivos se encontravam fora do castelo e começavam a cruzar a planície gramada. Então, olhou novamente para a coluna barulhenta de água que se erguia contra o céu, fazendo as torres parecerem pequenas, e também fugiu daquele castelo de horrores indizíveis.

Os zíngaros já haviam cruzado a margem do planalto e fugiam pelas encostas. Sancha esperou por Conan no topo da primeira encosta depois da margem, e lá ele parou por um instante para olhar para trás, para o castelo. Era como se uma gigantesca flor de caule verde e pétalas brancas se balançasse sobre as torres, e seu rugido enchia o céu. Em seguida, a coluna verde-jade com branco cor de neve se quebrou com um barulho que fez parecer que os céus estavam se rasgando, e paredes e torres foram destruídas por uma estrondosa torrente.

Conan pegou a mão da garota e fugiu. Declive atrás de declive subia e descia à frente deles e, ao fundo, havia o som de um rio. Um olhar por sobre seu ombro tenso mostrou uma larga fita verde fazendo o mesmo caminho que eles enquanto varria as encostas. A torrente não se espalhou e se dissipou, ela fluiu sobre as depressões e os cumes arredondados, mantendo um curso consistente — os estava seguindo.

O entendimento da situação instigou Conan a um novo pico de resistência. Sancha tropeçou e caiu de joelhos com um grito de desespero e exaustão. Levantando-a, o pirata a jogou por cima do ombro gigante e saiu correndo. Seu peito arfava, os joelhos tremiam; sua respiração rasgava seu peito em grandes suspiros entre os dentes. Ele cambaleou em suas passadas. À sua frente, viu os marujos avançando arduamente, estimulados pelo terror que os dominava.

De repente, o oceano surgiu à sua frente e, diante de seu olhar perplexo, lá estava o *Esbanjador*, flutuando intacto. Os homens se jogaram nos botes desordenadamente. Sancha caiu no fundo de um deles e ali ficou como uma trouxa de roupa amassada. Embora o sangue pulsasse aceleradamente em seus ouvidos e o mundo parecesse vermelho aos seus olhos, Conan assumiu os remos ao lado dos marujos ofegantes.

Com o coração pronto para explodir de tanta exaustão, eles remaram em direção ao navio. O rio verde irrompeu por entre as árvores, que caíram como se seus troncos tivessem sido cortados e, ao afundarem na enchente cor de jade, desapareceram. A maré fluiu para a praia, misturou-se ao oceano, e as ondas adquiriram um tom verde mais profundo e sinistro.

Um medo irracional e instintivo dominou os piratas, estimulando seus corpos agonizantes e os cérebros hesitantes a um esforço maior; eles não sabiam o que temiam, mas sabiam que naquela abominável e suave faixa verde residia uma ameaça tanto para o corpo quanto para a alma. Conan percebeu isso e, quando viu a linha larga deslizar para dentro das ondas e fluir através da água em direção a eles, sem alterar sua forma ou curso, ele reuniu as últimas forças com tanta ferocidade que o remo quebrou em suas mãos.

Entretanto, as proas dos botes se chocaram contra as vigas do *Esbanjador*, e os marujos escalaram as correntes, deixando os barcos à deriva de qualquer jeito. Sancha subiu no ombro largo de Conan, debruçando-se como um cadáver, para ser jogada sem cerimonias no convés enquanto o baracho assumia o leme, dando ordens ofegantes para sua reduzida tripulação. Durante toda a situação, ele assumiu a liderança sem questionar, e os homens o seguiram instintivamente. Eles cambaleavam como bêbados, tateando mecanicamente as cordas e os cabos. A corrente da âncora, solta, bateu na água, as velas se desenrolaram e inflaram com o vento crescente. O *Esbanjador* estremeceu e se sacudiu, balançando majestosamente rumo ao alto-mar. Conan olhou para a costa; como uma língua de chama esmeralda, uma faixa lambia a água inutilmente, a um remo de distância da quilha do *Esbanjador* e, então, não avançou mais. Daquela ponta da língua, o olhar do pirata seguiu uma corrente contínua de um verde suave, que ia até a praia branca e sobre as encostas, até que desapareceu naquele espaço azul.

O baracho, recuperando o fôlego, sorriu para a tripulação ainda ofegante. Sancha estava parada perto dele, com lágrimas histéricas descendo pelo rosto. As calças de Conan agora eram farrapos ensanguentados; seu cinto e sua bainha haviam sumido, a espada, cravada no convés ao lado dele, encontrava-se empenada e com uma crosta vermelha. O sangue coagulado acumulava-se em seus cabelos pretos, e uma orelha havia sido em parte arrancada de sua cabeça. Seus braços, pernas, peito e ombros foram mordidos e arranhados como se o baracho tivesse sido atacado por panteras. Todavia, ele sorria enquanto se equilibrava em suas poderosas pernas e girava o leme em pura exuberância de força muscular.

— E agora? — perguntou Sancha, hesitante.

— Agora saquearemos os mares! — respondeu ele, rindo. — Uma tripulação medíocre, arrasada e dilacerada, mas que é capaz de dar conta do navio. Além disso, tripulantes sempre podem ser encontrados. Venha aqui, garota, e me dê um beijo.

— Um beijo? — gritou ela histericamente. — Você pensa em beijos em momentos como este?

A risada de Conan explodiu mais alta que o estalo e os estrondos das velas, enquanto ele a puxava com um de seus braços poderosos e beijava seus lábios vermelhos com um prazer evidente.

— Eu penso na vida! — berrou ele. — Os mortos estão mortos e o que passou, passou! Eu tenho um navio, uma tripulação de combate e uma garota com lábios que são como vinho, e isso é tudo que sempre pedi. Cuidem de suas feridas, valentões, e abram um barril de cerveja. Trabalharão neste navio como nunca fizeram antes. Dancem e cantem enquanto isso, seus malditos! Para o inferno com esses mares vazios! Estamos a caminho de águas onde os portos estão lotados e os navios mercantes recheados de coisas a serem pilhadas!

Considerada por muitos como uma das melhores histórias do período intermediário, "Inimigos em casa" foi escrita no início de 1933 e publicada pela primeira vez na edição de janeiro de 1934 da revista *Weird Tales*. Howard, em correspondência com Clark Ashton Smith, declara que a história praticamente se escreveu sozinha e ainda confessa que desejaria sempre escrever com tanta facilidade assim. A história demonstra ausência de uma figura feminina companheira de Conan, mas isso não retira seu valor comercial, pois Conan, contratado como mercenário, ainda tem de enfrentar ameaças sobrenaturais em uma trama repleta de aventura.

# INIMIGOS EM CASA

## I

> "UM FUGIU, UM MORREU, OUTRO DORMIU EM UMA CAMA DE OURO"
>
> – Ditado antigo

Em um festival da corte, Nabonidus, o Sacerdote Vermelho, que era o verdadeiro governante da cidade, tocou gentilmente o braço de Murilo, o jovem aristocrata. Este virou-se, deu de encontro com o olhar enigmático do sacerdote e perguntou-se qual significado ele ocultava. Nenhuma palavra foi trocada entre ambos, mas Nabonidus se curvou e entregou a Murilo um pequeno recipiente de ouro. O jovem nobre, sabendo que Nabonidus não fazia nada sem motivo, pediu licença na primeira oportunidade que teve e retornou apressado aos seus aposentos. Lá, ele abriu o recipiente e encontrou uma orelha humana, que reconheceu devido a uma cicatriz peculiar que havia nela. O rapaz começou a suar intensamente e não tinha mais dúvidas sobre o significado do olhar do Sacerdote Vermelho.

Entretanto, apesar dos seus perfumados cachos pretos e de seu traje afetado, Murilo não se acovardou a ponto de se render sem lutar. Não sabia se Nabonidus estava apenas brincando com ele ou lhe dando a chance de se exilar voluntariamente, mas o fato de ainda estar vivo e em liberdade provou que ele teria ao menos algumas horas, provavelmente para meditação. Todavia, ele não precisava disso para tomar uma decisão; precisava de uma ferramenta. E o destino a forneceu, agindo em meio às espeluncas e aos bordéis dos bairros miseráveis naquele mesmo instante, enquanto o jovem nobre estremecia e ponderava naquela parte da cidade, ocupada pelos palácios de mármore e marfim, com suas rebuscadas torres púrpuras aristocráticas.

Havia um sacerdote de Anu, cujo templo, que se erguia na periferia do distrito mais pobre, era palco de mais do que devoções. Era um homem gordo e bem alimentado e ao mesmo tempo um receptador de artigos roubados e um espião da polícia. Prosperava de ambos os lados, já que o distrito com o qual fazia fronteira ficava o Labirinto, um emaranhado de becos lamacentos e sinuosos com covis sórdidos, frequentados pelos ladrões mais sórdidos do reino. E o mais ousado de todos era um gunderlandês desertor dos mercenários e um cimério bárbaro. Por causa do sacerdote de Anu, o gunderlandês havia sido preso e pendurado na praça do mercado. Entretanto, o cimério escapou e, descobrindo por maneiras sórdidas sobre a traição do sacerdote, entrou no templo de Anu à noite e decepou sua cabeça. Fez-se um grande tumulto na cidade, mas a busca pelo assassino foi infrutífera até que uma mulher o denunciou às autoridades, conduzindo um capitão da guarda e seu esquadrão até o aposento escondido em que o bárbaro jazia bêbado.

Ao acordar estupefato, mas feroz, percebeu o que o aguardava quando o agarraram, então ele estripou o capitão, livrou-se de seus agressores e teria escapado se não fosse pela bebida que ainda nublava seus sentidos. Confuso e ainda parcialmente cego, o cimério errou a porta aberta em sua fuga impetuosa e deu com a cabeça na parede de pedra de um jeito tão terrível que perdeu os sentidos. Quando voltou a si, ele se encontrava na masmorra mais fortificada da cidade, preso à parede com correntes que nem mesmo seus músculos bárbaros podiam partir.

Murilo foi até aquela cela, mascarado e envolto em um grande manto preto. O cimério o examinou com interesse, pensando que era o carrasco enviado para executá-lo. Murilo adotou uma postura apaziguadora e o observou com igual interesse. Mesmo na parca luz da masmorra, com seus membros presos por correntes, o poder primitivo do homem era evidente. Seu corpo poderoso e os seus grandes músculos combinavam a força de um urso com a agilidade de uma pantera. Sob sua cabeleira preta e emaranhada, seus olhos azuis brilhavam com uma selvageria insaciável.

— Você gostaria de ficar vivo? — perguntou Murilo.

O bárbaro grunhiu, com um novo interesse cintilando em seus olhos.

— Se eu providenciar sua fuga, você pode fazer um favor para mim? — perguntou o aristocrata.

O cimério não disse nada, mas a intensidade de seu olhar respondeu por ele.

— Quero que mate um homem para mim.

— Quem?

— Nabonidus, o sacerdote do rei! — disse Murilo em um sussurro.

O cimério não demonstrou nenhum sinal de surpresa ou perturbação. Não possuía o medo ou a reverência pela autoridade que a civilização inculca nos homens. Rei ou mendigo, tudo era uma única coisa para ele. Nem ao menos perguntou o motivo de Murilo o procurar, quando a região estava cheia de assassinos fora das prisões.

— Quando será a minha fuga? — inquiriu o cimério.

— Dentro de uma hora. Há somente um guarda nesta parte da masmorra à noite. Ele pode ser subornado; já foi, inclusive. Veja, aqui estão as chaves das suas correntes. Eu as removerei e, uma hora após a minha saída, o guarda Athicus abrirá a porta da sua cela. Você o amarrará com tiras rasgadas de sua túnica; desse modo, quando ele for encontrado, as autoridades pensarão que você foi resgatado por alguém de fora e não suspeitarão dele. Siga imediatamente para a casa do Sacerdote Vermelho e o mate. Depois, vá para a Toca do Rato, onde um homem o encontrará e lhe entregará uma bolsa de ouro e um cavalo. Com isso, você será capaz de fugir da cidade e do país.

— Tire essas malditas correntes agora — ordenou o cimério. — E mande o guarda me trazer comida. Por Crom, passei o dia inteiro com pão mofado e água e estou faminto.

— Assim será, mas lembre-se: você não deve fugir até que eu tenha tempo de chegar à minha casa.

Livre das correntes, o bárbaro se levantou e esticou os pesados braços, enormes na escuridão da masmorra. Murilo voltou a sentir que, se existia algum homem no mundo que pudesse cumprir a tarefa que ele havia proposto, seria aquele cimério. Com algumas instruções repetidas, ele deixou a prisão, não antes de ordenar que Athicus levasse um prato de carne e cerveja para o prisioneiro. Sabia que podia confiar no guarda, não apenas por conta do dinheiro que pagara, mas também por causa de certas informações que possuía sobre o homem.

Ao voltar para os seus aposentos, Murilo estava totalmente sob o controle de seus medos. Nabonidus atacaria por meio do rei — ele estava certo disso. E, como os guardas reais não estavam batendo à sua porta, tinha a certeza de que o sacerdote não dissera nada ao rei até então. No dia seguinte, ele falaria, sem dúvida... se vivesse até lá.

Murilo acreditava que o cimério seria leal a ele. Se o homem seria capaz de cumprir seu propósito, ainda era algo a ser visto. Homens já haviam tentado assassinar o Sacerdote Vermelho e morreram de maneiras terríveis e indizíveis. Entretanto, todos haviam sido produtos das cidades civilizadas, sem os instintos lupinos daquele bárbaro. No instante em que Murilo, girando nas mãos o recipiente de ouro com a orelha decepada, soube pelos seus canais secretos que o cimério fora capturado, vira então uma solução para o seu problema.

Em seus aposentos novamente, ele fez um brinde ao sujeito, cujo nome era Conan, e ao seu sucesso naquela noite. E, enquanto bebia, um de seus espiões lhe trouxe a notícia de que Athicus tinha sido preso e jogado na prisão. O cimério não havia fugido.

Murilo sentiu seu sangue gelar mais uma vez. Podia ver naquela reviravolta do destino apenas a mão sinistra de Nabonidus, e uma obsessão começou a crescer nele de que o Sacerdote Vermelho era mais do que humano — um feiticeiro que lia as mentes de suas vítimas e puxava cordas nas quais elas dançavam como fantoches. Com a aflição, veio o desespero. Cingindo uma espada sob seu manto escuro, Murilo deixou sua casa por um caminho escondido e correu pelas ruas desertas. Tinha acabado de dar meia-noite quando chegou à casa de Nabonidus, espreitando sombriamente pelos jardins murados que a separavam das residências vizinhas.

O muro era alto, mas não impossível de escalar. Nabonidus não confiava em meras barreiras de pedra. Era o que havia do outro lado do muro que deveria ser temido. O que eram essas coisas, Murilo não sabia exatamente. Sabia que havia pelo menos um cão selvagem enorme que vagava pelos jardins e que, certa vez, estraçalhou um intruso como se fosse um coelho. O que mais havia ali, ele não ousava conjecturar. Homens que tiveram a permissão de entrar na casa a fim de tratar de negócios breves e legítimos relataram que Nabonidus possuía móveis opulentos, mas era simplesmente assistido por um número surpreendentemente pequeno de criados. Na realidade, eles mencionaram terem visto apenas um — um homem alto e calado chamado Joka. Alguém mais, provavelmente um escravo, foi ouvido se movendo pela casa, mas tal pessoa nunca fora vista. O maior mistério da enigmática casa era o próprio Nabonidus, cujo poder de intriga e domínio da política internacional fez dele o homem mais poderoso do reino. As pessoas, o chanceler e o rei se moviam como fantoches nas cordas comandadas por ele.

Murilo escalou o muro e desceu nos jardins, que eram uma vastidão de sombras, criadas por arbustos e folhagens ondulantes. Nenhuma luz brilhava nas janelas da casa, que se avolumava tão sombriamente entre as árvores. O jovem nobre se esgueirou, furtivo, mas ágil, em meio aos arbustos. Por um instante, ele esperou ouvir o latido de um enorme cão e ver seu corpo gigantesco disparar pelas sombras. Duvidou da eficácia de sua espada contra tal ataque, mas hesitou. Era melhor morrer sob as presas de uma besta do que pelas mãos do carrasco.

Ele tropeçou em alguma coisa volumosa e macia. Curvando-se sob a luz fraca das estrelas, Murilo distinguiu uma forma macia no chão. Era o cachorro que protegia os jardins e estava morto. Seu pescoço havia sido quebrado e apresentava o que pareciam ser marcas de grandes presas. O rapaz sentiu que aquilo não tinha sido obra de um ser humano. A besta encontrara um monstro mais selvagem do que ela. Nervoso, Murilo olhou para as aglomerações misteriosas de arbustos e moitas; em seguida, dando de ombros, ele se aproximou da casa silenciosa.

A primeira porta que ele tentou abrir mostrou-se destrancada. Murilo entrou com cautela, espada na mão, e se viu em um corredor longo e quase totalmente escuro, iluminado apenas por uma luz que brilhava através das cortinas na outra ponta. Um silêncio sepulcral reinava na casa. O jovem se esgueirou pelo corredor e parou para espiar por entre as cortinas. Viu uma sala iluminada, com cortinas de veludo que se encontravam fechadas a ponto de não permitir a passagem de nenhum feixe de luz. O cômodo estava vazio no que dizia respeito a presenças humanas, mas ainda assim contava com um ocupante sinistro. Em meio a uma bagunça de móveis e cortinas rasgadas que pareciam vítimas de uma luta terrível, jazia o corpo de um homem. Deitado de bruços, a cabeça estava torcida e o queixo havia parado atrás de um dos ombros. As feições, contorcidas em um sorriso medonho, pareciam olhar com malícia para o nobre horrorizado.

Pela primeira vez naquela noite, a determinação de Murilo vacilou. Ele lançou um olhar incerto para o caminho por onde viera. Então a lembrança do cepo de madeira e do machado do carrasco fez seu corpo retesar, e ele atravessou o cômodo, desviando para evitar o horror soturno que se encontrava estatelado no centro. Embora nunca tivesse visto aquele homem, ele sabia por descrições anteriores que era Joka, o criado rabugento de Nabonidus.

Murilo espiou por uma porta com cortinas e viu um amplo aposento circular, conectado por uma galeria a meio caminho entre o piso polido e o teto alto. Esse aposento era mobiliado como se fosse destinado a um rei. No centro, havia uma mesa de mogno ornamentada, cheia de garrafas de vinho e pratos sofisticados. E, então, o rapaz enrijeceu. Em uma enorme cadeira de espaldar largo virada para ele, ele viu uma figura cujas roupas lhe eram familiares. Avistou um braço com uma manga vermelha apoiado no braço da cadeira; a cabeça, coberta com o habitual capuz escarlate de seu manto, estava inclinada para frente como em meditação, da mesma forma que Murilo tinha visto Nabonidus se sentar uma centena de vezes na corte real.

Amaldiçoando as batidas do próprio coração, o jovem nobre atravessou furtivamente o cômodo, com a espada em riste e o corpo pronto para o golpe. Sua presa não se mexeu nem pareceu ouvir seu cauteloso avanço. Será que o Sacerdote Vermelho estava dormindo ou seria aquele um cadáver jogado naquela enorme cadeira? A distância de um único passo largo separava Murilo de seu inimigo, quando, de repente, o homem se levantou e o encarou.

Subitamente, Murilo empalideceu. Sua espada caiu de sua mão e ressoou no chão encerado. Um grito terrível saiu de seus lábios lívidos, seguido do baque seco de um corpo caindo no chão. Então, o silêncio reinou novamente na casa do Sacerdote Vermelho.

## II

Pouco depois de Murilo deixar a masmorra onde Conan encontrava-se confinado, Athicus levou ao prisioneiro uma bandeja de comida que incluía um enorme pedaço de carne e uma caneca de cerveja, entre outras coisas. Conan devorou tudo com ferocidade, e Athicus fez uma última ronda pelas celas a fim de verificar se tudo estava em ordem e que ninguém testemunharia a falsa fuga. Foi durante o tempo em que ele estava ocupado que um esquadrão entrou na prisão e o prendeu. Murilo havia se enganado ao presumir que os guardas descobriram sobre a fuga planejada de Conan. Era outro assunto: Athicus havia se tornado descuidado nas suas relações com o submundo, e um de seus pecados do passado cobrou seu preço.

Outro carcereiro ocupou seu posto, uma criatura tão impassível e confiável que nenhuma quantia de suborno poderia desviá-lo de seu dever. Ele era prosaico, mas tinha uma ideia exagerada da importância de seu trabalho.

Depois que Athicus foi levado para ser formalmente processado diante de um magistrado, o carcereiro substituto realizou as rondas das celas, como de praxe. Ao passar por Conan, ficou extremamente chocado e indignado ao ver o prisioneiro livre de suas correntes e roendo os últimos pedaços de carne de um enorme osso de boi. O carcereiro ficou tão transtornado que cometeu o erro de entrar sozinho na cela, sem chamar os demais guardas da prisão. Foi seu primeiro equívoco no cumprimento do dever, e o último também. Conan acertou sua cabeça com o osso de boi, pegou seu punhal e suas chaves e partiu calmamente. Como Murilo havia dito, apenas um guarda ficava de plantão ali à noite. O cimério se despediu daquelas paredes usando o molho de chaves que roubara e logo estava do lado de fora, tão livre como se o plano de Murilo tivesse dado certo.

Nas sombras dos muros da prisão, Conan parou por um instante para decidir o que fazer em seguida. Ocorreu-lhe que, uma vez que havia escapado pelo seu próprio mérito, nada devia a Murilo; ainda assim, fora o jovem nobre que havia removido suas correntes e enviado comida a ele, sem qualquer um dos quais sua fuga teria sido impossível. Conan decidiu que tinha uma dívida com o rapaz e, por ser um homem que cumpria com suas obrigações, decidiu honrar sua promessa ao jovem aristocrata. Todavia, primeiro ele tinha alguns assuntos pessoais a tratar.

Ele se livrou de sua túnica esfarrapada e saiu nu pela noite, exceto por uma tanga. Enquanto caminhava, segurava o punhal que havia roubado do guarda — uma arma mortífera com uma lâmina larga de dois gumes de uns cinquenta centímetros. Conan se esgueirou por becos e praças obscuras até chegar ao distrito que era seu destino: o Labirinto. Percorreu seus caminhos sinuosos com a certeza da familiaridade. De fato, fazia jus ao nome devido a seus becos escuros, pátios fechados e caminhos tortuosos, com sons furtivos e odores desagradáveis. Não havia calçamento nas ruas; lama e sujeira se misturavam em uma bagunça repugnante. Os sistemas de esgotos eram inexistentes; o lixo era despejado nos becos a ponto de formar pilhas e poças fedorentas. A menos que um homem caminhasse com cuidado, provavelmente perderia o equilíbrio e afundaria até a cintura naquelas poças nauseantes. Também não era raro tropeçar em um cadáver caído na lama com a garganta cortada ou a cabeça amassada. Pessoas honestas evitavam o Labirinto por um bom motivo.

Conan chegou ao seu destino sem ser visto, no momento em que alguém que ele desejava fervorosamente encontrar deixava o local. Enquanto o cimério se esgueirava para o pátio abaixo, a garota que o entregara à polícia se despedia de seu novo amante em um quarto no andar de cima. Aquele jovem bandido, após

## INIMIGOS EM CASA

fechar a porta atrás de si, desceu tateando um lance rangente de escada, concentrado em seus próprios pensamentos, que, como os da maioria daqueles que viviam no Labirinto, tinham a ver com a aquisição ilegal de alguma coisa. No meio da escada, ele parou de repente, os pelos arrepiados. Uma forma indistinta se via agachada na escuridão à sua frente, um par de olhos brilhando como os de uma fera caçadora. Um rosnado bestial foi a última coisa que ele ouviu na vida, enquanto o monstro investia contra ele e uma lâmina afiada rasgava sua barriga. O sujeito deu um grito ofegante e caiu sem vida na escada.

O bárbaro inclinou-se sobre o cadáver por um instante, como se fosse um demônio, cujos olhos flamejavam na escuridão. Ele sabia que o som tinha sido ouvido, mas as pessoas daquele lugar tinham a cautela de cuidar de suas próprias vidas. Um grito de morte em escadas escuras não era nada fora do comum. Mais tarde, alguém se aventuraria a investigar, mas somente após um período razoável de tempo.

Conan subiu as escadas e parou diante de uma porta que conhecia bem há muito tempo. Estava trancada pelo lado de dentro, mas sua lâmina passou por entre a porta e o batente e levantou a barra de proteção. Ele entrou, fechando-a atrás de si, e encarou a garota que o traíra e o entregara para a polícia.

A moça estava sentada de pernas cruzadas, de camisola, em sua cama desarrumada. Ela empalideceu e o olhou como se ele fosse um fantasma. Tinha ouvido o grito vindo da escada e viu a mancha vermelha no punhal em sua mão, mas estava aterrorizada demais para perder tempo lamentando o destino evidente de seu amante. Começou a implorar por sua vida, soando quase incoerente de terror. Conan não respondeu; se levantou e olhou para ela com seus olhos ardentes, testando a ponta de seu punhal com um polegar calejado.

Por fim, o cimério atravessou o cômodo, enquanto ela se encolhia contra a parede, soluçando e suplicando freneticamente por misericórdia. Agarrando seus cachos dourados sem nenhuma gentileza, ele a arrastou para fora da cama. Guardando a lâmina na bainha, ele colocou a garota, que se contorcia, sob o braço esquerdo e foi até a janela. Como na maioria das casas daquele tipo, uma saliência circundava cada andar, criada pela continuação dos parapeitos das janelas. Conan abriu a janela com um chute e saiu por aquele espaço estreito. Se alguém estivesse por perto ou acordado, teria testemunhado a bizarra cena de um homem se movendo cuidadosamente ao longo da saliência, carregando uma moça seminua que esperneava debaixo de seu braço. Eles teriam ficado tão confusos quanto ela.

Ao chegar no local que procurava, Conan parou, agarrando-se à parede com a mão que estava livre. De dentro do prédio, surgiu um clamor repentino, sinal de que o corpo havia finalmente sido descoberto. Sua prisioneira choramingou e se contorceu, reavivando sua pressão. Conan olhou para a sujeira e a lama dos becos abaixo, ouviu brevemente o tumulto que acontecia na parte de dentro e os apelos da garota; em seguida, ele a jogou com grande precisão dentro de uma fossa.

Conan apreciou por alguns segundos vê-la se debater, chafurdar e destilar veneno com suas blasfêmias, e chegou até mesmo a permitir-se uma gargalhada. Então, ele ergueu a cabeça, ouviu o tumulto crescer dentro do prédio e decidiu que era hora de matar Nabonidus.

## III

Foi um som estridente e reverberante de metal que acordou Murilo. Ele gemeu e lutou ainda desorientado até se sentar. Tudo ao seu redor era silêncio e escuridão e, por um instante, ele temeu ter ficado cego. Então se lembrou do que acontecera antes e sua pele se arrepiou. Ao tatear em volta, descobriu que se encontrava deitado em um chão de pedras uniformemente unidas. Apalpando ainda mais, ele descobriu uma parede do mesmo material. Murilo se levantou e se apoiou nela, tentando em vão se orientar. Parecia certo de que estava em algum tipo de prisão, mas onde e por quanto tempo ele não conseguia precisar. Lembrou-se vagamente do ruído de uma colisão e se perguntou se teria sido a porta de ferro de sua masmorra se fechando ou se indicava a entrada de um carrasco.

Com tal pensamento, ele estremeceu intensamente e começou a tatear o caminho ao longo da parede. Por um momento, esperava encontrar os limites de sua prisão, mas, após certo tempo, concluiu que estava caminhando por um corredor. Ele se manteve próximo à parede, com medo de fossos ou outras armadilhas, e logo se deu conta de que havia algo perto dele na escuridão. Murilo não conseguia enxergar nada, mas os seus ouvidos captaram um som furtivo ou algum sentido inconsciente o alertou. Ele parou, os pelos eriçados; com tanta certeza quanto o fato de estar vivo, o rapaz sentiu a presença de alguma criatura viva agachada à sua frente na escuridão.

Ele pensou que seu coração iria parar quando então uma voz sibilou com um sotaque bárbaro:

— Murilo! É você?

— Conan!

## INIMIGOS EM CASA

Abalado, o jovem nobre tateou na escuridão, e suas mãos encontraram um par enorme de ombros nus.

— Que bom que eu o reconheci — grunhiu o bárbaro. — Estava prestes a esfaqueá-lo como se faz com um porco gordo.

— Em nome de Mitra, onde estamos?

— Nos fossos sob a casa do Sacerdote Vermelho, mas por que...

— Que horas são?

— Não passa muito de meia-noite.

Murilo balançou a cabeça, tentando recompor o raciocínio disperso.

— O que você está fazendo aqui? — perguntou o cimério.

— Vim matar Nabonidus. Ouvi dizer que eles mudaram o carcereiro da sua prisão e...

— Mudaram — resmungou Conan. — Esmaguei a cabeça do novo guarda e saí. Já devia estar aqui há horas, mas tinha alguns assuntos pessoais para cuidar. Bem, devemos ir atrás de Nabonidus?

Murilo estremeceu.

— Conan, estamos na casa do diabo! Vim à procura de um inimigo humano e encontrei um demônio peludo vindo dos infernos!

O cimério resmungou com incerteza; destemido como um tigre ferido no que diz respeito aos inimigos humanos, ele tinha todos os temores supersticiosos dos primitivos.

— Tive acesso à casa — sussurrou Murilo, como se a escuridão tivesse ouvidos atentos. — Nos jardins externos, encontrei o cão de Nabonidus, morto. Dentro da residência, encontrei Joka, o criado. O pescoço dele fora quebrado. Então vi o próprio Nabonidus sentado em sua cadeira, vestido com seus trajes de sempre. De início, pensei que ele também estava morto. Avancei para esfaqueá-lo, mas ele se levantou e me encarou. Deus!

A lembrança daquele horror atingiu o jovem nobre por um instante e o deixou mudo enquanto revivia aquele terrível momento.

— Conan — sussurrou Murilo —, não era um homem que se encontrava diante de mim! Em corpo e postura, não diferia de um humano, mas, de dentro do capuz escarlate do sacerdote, um rosto de loucura e pesadelo sorria para mim! Seu rosto estava coberto de pelos pretos, no qual brilhavam pequenos olhos vermelhos, como os de porcos. O nariz era achatado, com narinas grandes e dilatadas; seus lábios frouxos se contorciam e repuxavam, revelando enormes presas amareladas, como os dentes de um cachorro. As mãos que pendiam das mangas vermelhas eram deformadas e igualmente cobertas de pelos pretos. Tudo isso eu vi em um relance, então fui dominado pelo horror, meus sentidos me abandonaram e eu desmaiei.

— E depois? — murmurou o cimério, ansioso.

— Recuperei a consciência há pouco tempo. O monstro deve ter me jogado nesses fossos. Conan, eu já suspeitava que Nabonidus não era inteiramente humano! Ele é um demônio... algo tipo um lobisomem! De dia, ele transita em meio à humanidade sob o disfarce de um homem; à noite, assume seu verdadeiro aspecto.

— Isso é claro — respondeu Conan. — Todo mundo sabe que há homens que assumem a forma de lobos quando bem entendem. Mas por que ele matou os criados?

— Quem é capaz de entender a mente de um demônio? — retrucou Murilo. — Nosso atual interesse é sair deste lugar. Armas humanas não podem ferir alguém assim. Como você entrou aqui?

— Pelo esgoto. Supus que os jardins eram vigiados. Os esgotos se conectam a um túnel que garante acesso a esses fossos. Pensei em encontrar alguma porta destrancada que levasse para a casa.

— Então vamos sair pelo mesmo caminho que você usou para entrar! — exclamou Murilo. — Que se dane! Uma vez fora deste ninho de cobras, nos arriscaremos com os guardas do rei e fugiremos da cidade. Vá na frente!

— Isso é inútil — resmungou o cimério. — O caminho para os esgotos está bloqueado. Quando entrei no túnel, uma grade de ferro caiu do teto. Se eu não tivesse me movido mais rápido do que um raio, suas pontas afiadas teriam me prendido no chão como um verme. Quando tentei erguê-la, não consegui. Um elefante não seria capaz de sacudi-la. Nem nada maior do que um coelho poderia se espremer pelas barras.

Murilo praguejou, sentindo como se uma mão gelada subisse e descesse pelas suas costas. Ele devia saber que Nabonidus não deixaria desprotegida nenhuma entrada da casa. Se Conan não tivesse a mesma agilidade de uma criatura selvagem, a queda daquela grade o teria matado. Sem dúvida alguma, ao caminhar pelo túnel, foi acionada alguma trava oculta que soltara a grade do teto. De qualquer forma, ambos tinham caído na armadilha.

— Só há uma coisa a fazer — disse Murilo, suando intensamente. — Procurar alguma outra saída; sem dúvida, todas contam com armadilhas, mas não temos escolha.

O bárbaro grunhiu em concordância, e os dois começaram a tatear a esmo seu caminho pelo corredor. Naquele momento, algo ocorreu a Murilo.

— Como você me reconheceu nessa escuridão? — perguntou.

— Senti o perfume que você passou nos cabelos quando visitou a minha cela — respondeu Conan. — Então senti novamente há pouco tempo, quando estava agachado no escuro e me preparando para estripá-lo.

Murilo puxou uma mecha dos cabelos para o nariz; mesmo assim, o aroma era quase imperceptível para os seus sentidos civilizados, e ele se deu conta de o quão aguçados deviam ser os do bárbaro.

Instintivamente, sua mão se dirigiu à bainha da adaga enquanto seguiam tateando, e ele praguejou ao senti-la vazia. Naquele momento, um brilho fraco surgiu à sua frente e logo eles chegaram a uma curva acentuada no corredor, pela qual uma luz cintilava em um tom cinzento. Juntos, Conan e Murilo espiaram pela curva, e o nobre, encostado no companheiro, sentiu o enorme corpo enrijecer. O rapaz também tinha visto... O corpo seminu de um homem, caído no corredor depois curva, que era vagamente iluminado por uma luz que parecia emanar de um largo disco de prata na parede oposta. Uma estranha sensação de familiaridade com a figura deitada de bruços provocou suposições inexplicáveis e monstruosas em Murilo. Gesticulando para que Conan o seguisse, ele avançou e se curvou por cima do corpo. Superando uma certa repugnância, ele o garrou e o virou. Um xingamento de incredulidade escapou de seus lábios; o cimério grunhiu raivosamente.

— Nabonidus! O Sacerdote Vermelho! — exclamou Murilo, sua cabeça em um turbilhão confuso de tanto espanto. — Então quem... o que...?

O sacerdote gemeu e se mexeu. Com uma agilidade felina, Conan se curvou sobre ele, com o punhal pairando sobre o peito do homem na altura do coração. Murilo segurou seu punho.

— Espere! Não o mate ainda...

— Por que não? — perguntou Conan. — Ele não está transformado e dorme. Você vai acordá-lo para que possa nos estraçalhar?

— Não, espere! — insistiu Murilo, tentando recuperar a linha confusa de raciocínio. — Veja! Ele não está dormindo... está vendo aquele hematoma na têmpora? O sacerdote está inconsciente. Pode estar aqui há horas.

— Achei que você jurava ter visto o homem em uma forma bestial na casa, lá em cima — disse o bárbaro.

— Eu vi! Ou então... ele está despertando! Guarde seu punhal, Conan. Há um mistério aqui ainda mais sinistro do que eu imaginava. Preciso conversar com o sacerdote antes de o matarmos.

Nabonidus levou a mão vagamente à sua têmpora machucada, resmungou e abriu os olhos. Por um instante, eles ficaram inexpressivos e abobados; então a vida retornou com um solavanco, e o homem se sentou, olhando para os companheiros. Qualquer que tivesse sido o golpe que temporariamente perturbou seu cérebro, em geral tão afiado como uma navalha, já acabara, pois este parecia estar funcionando de novo com o mesmo vigor de sempre. Os olhos do sacerdote vagaram rapidamente ao seu redor, depois voltaram a fitar o rosto de Murilo.

— Você honra minha pobre casa, jovem senhor — disse ele, rindo friamente e olhando em seguida para a enorme figura que se avolumava atrás do ombro do rapaz. — Vejo que trouxe consigo um bandido. Sua espada não era o suficiente para acabar com a minha humilde vida?

— Basta — retrucou Murilo, impaciente. — Por quanto tempo você esteve deitado aqui?

— Uma pergunta peculiar a ser feita para um homem que ainda recupera a consciência — respondeu o sacerdote. — Não sei a hora agora, mas faltava uma hora ou mais para a meia-noite quando fui atacado.

— Então quem se disfarça com seu próprio manto na residência acima? — inquiriu o jovem.

— É Thak — respondeu Nabonidus, passando os dedos pelos hematomas. — Sim, é Thak. E usando meu manto? Que cretino!

Conan, que não havia entendido nada daquilo, remexeu-se com ansiedade e rosnou algo em seu próprio idioma. Nabonidus olhou para ele peculiarmente.

— O punhal do seu bandido deseja o meu coração, Murilo — disse o sacerdote. — Achei que você seria sábio o bastante para aceitar o meu aviso e sair da cidade.

— Como eu poderia saber que isso me seria permitido? — retrucou o jovem. — De qualquer forma, meus interesses se encontram aqui.

— Você está bem acompanhado por aquele assassino — murmurou Nabonidus. — Eu já suspeitava de você há um certo tempo. Foi por isso que dei sumiço naquele secretário pálido da corte. Antes de morrer, ele me contou muitas coisas, entre elas o nome do jovem nobre que o subornara para roubar segredos de Estado, os quais foram vendidos pelo mesmo jovem a governos rivais. Não sente vergonha de si mesmo, Murilo, seu corrupto?

— Eu não tenho motivos para me envergonhar mais do que você, seu abutre saqueador — respondeu Murilo prontamente. — Você explora um reino inteiro em nome da sua própria ganância. E, sob o pretexto de uma política desinteressada, engana o rei, empobrece os ricos, oprime os pobres e sacrifica o futuro da nação por sua implacável ambição. Você não passa de um porco gordo com o focinho na gamela. É um ladrão muito maior do que eu. Este cimério é o homem mais honesto de nós três, pois rouba e mata abertamente.

— Bem, então, somos todos bandidos — concordou Nabonidus. — E agora? E a minha vida?

— Quando vi a orelha do secretário desaparecido, eu sabia que estava condenado — disse Murilo abruptamente —, e acreditei que você invocaria a autoridade do rei. Acertei?

— Sim — respondeu o sacerdote. — É fácil se livrar de um secretário da corte, mas você é um tanto proeminente demais. Eu pretendia contar ao rei uma brincadeirinha a seu respeito pela manhã.

— Uma brincadeirinha que me teria custado a cabeça — murmurou Murilo. — O rei não está a par das minhas iniciativas no exterior?

— Ainda não — suspirou Nabonidus. — E agora, vejo que seu companheiro tem seu punhal em mãos, temo que tal brincadeirinha nunca seja contada.

— Você deve saber como sair desta toca de ratos — disse o rapaz. — Suponhamos que eu concorde em poupar a sua vida. Irá nos ajudar a escapar e jurar manter silêncio sobre meus crimes?

— Quando é que um sacerdote mantém um juramento? — questionou Conan, entendendo o rumo da conversa. — Permita-me cortar a garganta dele; eu quero ver de que cor é o sangue desse sujeito. No Labirinto, dizem que o coração é preto, então o sangue deve ser assim também...

— Quieto — sussurrou Murilo. — Se ele não nos mostrar o caminho de saída destes fossos, podemos acabar apodrecendo aqui. Bem, Nabonidus, o que me diz?

— O que um lobo que tem a perna presa na armadilha diz? — retrucou o sacerdote, rindo. — Estou sob seu poder e, se quisermos escapar, devemos ajudar uns aos outros. Juro que, se sobrevivermos a esta aventura, esquecerei de todos os seus negócios desonestos. Juro pela alma de Mitra!

— Estou satisfeito — murmurou Murilo. — Nem mesmo o Sacerdote Vermelho quebraria tal juramento. Agora, pensemos em como sair daqui. Meu amigo entrou pelo túnel, mas uma grade desabou atrás dele e bloqueou o caminho. Você pode fazer com que ela seja reerguida?

— Não daqui onde estamos — respondeu o sacerdote. — A manivela que a controla se encontra no aposento acima do túnel. Há somente uma outra saída, que irei mostrar a vocês. Mas diga-me, como entrou aqui?

Murilo lhe contou em poucas palavras, e Nabonidus assentiu, levantando-se tenso do chão. Mancou pelo corredor, que ali se alargava em uma espécie de câmara ampla, e se aproximou do distante disco de prata. À medida que os três avançavam, a luz aumentava, embora nunca tivesse se tornado nada além de um brilho sombrio e fraco. Perto do disco, eles viram uma escada estreita que levava para cima.

— Esta é a outra saída — disse Nabonidus. — Duvido muito que a porta lá em cima esteja trancada, mas eu imagino que aquele que passar por ela prefira cortar a própria garganta antes. Olhe para o disco.

O que parecia um disco de prata era, na verdade, um grande espelho na parede. Um sistema intrincado de tubos de cobre se projetava acima dele, curvando-se em sua direção em ângulos retos. Olhando para os tubos, Murilo viu um conjunto desconcertante de espelhos menores. Ele voltou sua atenção para o maior, na parede, e exclamou em surpresa. Espiando por cima do ombro do rapaz, Conan grunhiu.

Eles pareciam estar olhando através de uma ampla janela para uma câmara bem iluminada. Havia espelhos largos nas paredes, com cortinas de veludo entre eles; sofás de seda, cadeiras de ébano e marfim e portas também com cortinas que levavam para o lado de fora do aposento. E, diante da única janela que não estava coberta, havia um objeto escuro e volumoso que contrastava grotescamente com a opulência da câmara.

Murilo sentiu o sangue gelar de novo ao olhar para o horror que parecia fitá-lo diretamente em seus olhos. Involuntariamente, ele recuou, enquanto Conan empurrava a cabeça com agressividade para a frente, ao ponto de suas mandíbulas quase tocarem a superfície de vidro, rosnando alguma ameaça ou provocação em seu próprio idioma bárbaro.

— Em nome de Mitra, Nabonidus — sobressaltou-se Murilo, abalado —, o que é isso?

— Aquele é Thak — respondeu o sacerdote, esfregando a têmpora. — Alguns o chamariam de macaco, mas é quase tão diferente do animal quanto de um homem de verdade. Seu povo vive na região mais ao leste, nas montanhas que margeiam as fronteiras orientais de Zamora. Não há muitos deles, mas, se

# INIMIGOS EM CASA

não forem exterminados, acredito que talvez se tornarão seres humanos dentro de uns cem mil anos. Estão em fase de formação; eles não são nem macacos, como seus ancestrais remotos, nem homens, como seus descendentes podem ser. Vivem nos penhascos altos de montanhas que são quase inacessíveis, sem saber nada sobre fogo, fabricação de abrigos, roupas ou uso de armas. Ainda assim, possuem uma espécie de linguagem própria, que consiste principalmente em grunhidos e estalos.

"Acolhi Thak quando ainda filhote, e ele aprendeu o que eu ensinei muito mais rápida e perfeitamente do qualquer verdadeiro animal poderia ter aprendido. Ele foi, ao mesmo tempo, segurança e criado. Porém, me esqueci de que, sendo um homem em parte, ele não admitiria ser uma mera sombra minha, como um verdadeiro animal faria. Ao que tudo indica, seu cérebro semi-humano retinha impressões de ódio, ressentimento e um certo tipo de ambição bestial própria.

"De qualquer modo, ele atacou quando eu menos esperava. Na noite passada, ele pareceu enlouquecer de repente. Suas ações tomaram proporções de insanidade bestial, mas eu sei que devem ter sido resultado de um planejamento extenso e cuidadoso.

"Ouvi um som de luta no jardim e, quando fui investigar — acreditei ser você sendo arrastado pelo meu cão de guarda —, vi Thak surgir dos arbustos, pingando sangue. Antes que eu me desse conta de sua intenção, ele saltou sobre mim com um grito terrível e me deixou inconsciente. Não lembro de mais nada, mas posso apenas supor que, seguindo algum capricho de seu cérebro semi-humano, ele tirou meu manto e me jogou ainda com vida nos fossos; o motivo, somente os deuses podem adivinhar. Ele deve ter matado o cão quando veio do jardim e, em seguida, me atacou. Evidentemente, matou Joka, já que você viu seu corpo dentro da casa. Joka teria vindo ao meu socorro, mesmo contra Thak, a quem sempre odiou."

Murilo olhava no espelho para a criatura que estava sentada com uma paciência monstruosa diante da porta fechada. Ele estremeceu ao ver as enormes mãos escuras, densamente cobertas de pelos que as faziam parecer animalescas. O corpo era robusto, largo e curvado. Os ombros anormalmente largos haviam rasgado o manto escarlate, e neles Murilo notou o mesmo crescimento espesso de pelos pretos. O rosto que espiava de dentro do capuz vermelho era completamente bestial, mas Murilo notou que Nabonidus dizia a verdade ao mencionar que Thak não era uma fera por completo. Havia algo nos olhos escuros e avermelhados, algo na postura desajeitada da criatura, na aparência daquela coisa que a diferenciava de um verdadeiro animal. Aquele corpo monstruoso continha um cérebro e uma alma que começavam a se tornar, de um jeito terrível, algo vagamente humano. Murilo ficou perplexo ao reconhecer um leve e medonho parentesco entre a sua espécie e aquela monstruosidade que ali se encontrava agachada e se sentiu enjoado por compreender os abismos bestiais dos quais a humanidade havia saído.

— Ele nos vê, com certeza — murmurou Conan. — Por que não nos ataca? Ele poderia quebrar essa janela com facilidade.

Murilo se deu conta de que Conan supunha que o espelho fosse uma janela.

— Ele não nos vê — disse o sacerdote. — Estamos olhando para a câmara acima de nós. A porta que Thak está vigiando é a que fica no topo da escada. É simplesmente um jogo de espelhos. Veja os que estão nas paredes; eles transmitem o reflexo da sala para dentro desses tubos, pelos quais outros espelhos o carregam para finalmente refleti-lo em uma escala ampliada neste grande espelho aqui.

Murilo percebeu que o sacerdote devia estar séculos à frente de sua geração para aperfeiçoar uma invenção daquelas. Entretanto, Conan atribuiu aquilo à bruxaria e não preocupou mais sua cabeça com o assunto.

— Construí esses fossos com o intuito de servirem de refúgio e também de masmorra — comentou Nabonidus. — Há momentos em que me resguardo aqui e, através destes espelhos, vejo a desgraça cair sobre aqueles que me procuram com más intenções.

— Mas por que Thak está vigiando aquela porta? — questionou Murilo.

— Ele deve ter ouvido a grade cair no túnel. Está conectada com sinos nos aposentos acima. Ele sabe que alguém se encontra nos fossos e está aguardando a pessoa subir a escada. Oh, ele aprendeu bem as lições que ensinei. Ele já viu o que aconteceu aos homens que entraram por aquela porta quando eu puxei a corda que está pendurada ali e espera para fazer o mesmo.

— E, enquanto ele espera, o que devemos fazer? — perguntou o rapaz.

— Não há nada que possamos fazer, a não ser vigiá-lo. Enquanto Thak estiver naquela câmara, não ousaremos subir a escada. Ele tem a força de um verdadeiro gorila e poderia facilmente nos estraçalhar. Contudo, ele não precisa usar os músculos; se abrirmos a porta, tudo que ele tem de fazer é puxar a corda e nos mandar para a eternidade.

— Como?

— Fiz um acordo para ajudá-los a escapar — respondeu o sacerdote —, não para entregar os meus segredos.

Murilo começou a responder, mas paralisou de repente. Uma mão furtiva havia afastado as cortinas de uma das passagens. Entre elas, surgiu um rosto moreno cujos olhos brilhantes se fixaram de um jeito ameaçador na criatura agachada com o manto escarlate.

— Petreus! — sibilou Nabonidus. — Mitra, que noite é esta que reúne tantos abutres?

O rosto permaneceu emoldurado pelas cortinas abertas. Por cima do ombro do intruso, outras faces espiavam — magras e escuras, iluminadas por uma ansiedade sinistra.

— O que eles fazem aqui? — murmurou Murilo, diminuindo inconscientemente o tom de sua voz, mesmo sabendo que não podia ser ouvido.

— Ora, o que Petreus e seus fervorosos jovens nacionalistas estariam fazendo na casa do Sacerdote Vermelho? — disse Nabonidus, rindo. — Veja como eles olham com ansiedade para a figura que pensam ser seu arqui-inimigo. Eles caíram no mesmo erro que o seu; vai ser divertido assistir à reação deles quando se desiludirem.

Murilo não respondeu. Toda a situação tinha uma atmosfera claramente surreal. Ele se sentia como se estivesse assistindo a uma peça de fantoches, ou como um espírito desencarnado, observando de maneira impessoal as ações dos vivos, sem ser visto ou notado.

Ele viu Petreus colocar o dedo sobre os lábios em sinal de silêncio e acenar para os companheiros conspiradores. O jovem nobre não sabia dizer se Thak estava ciente dos intrusos. A posição do homem-macaco não havia mudado, pois ele estava de costas para a porta pela qual os outros se esgueiravam.

— Eles tiveram a mesma ideia que você — murmurou Nabonidus no ouvido de Murilo. — Só que as razões deles eram patrióticas, não egoístas. Agora que o cão está morto, é fácil ter acesso à minha casa. Oh, que chance maravilhosa de me livrar dessa ameaça de uma vez por todas! Se eu estivesse sentado onde Thak se encontra... um salto na direção da parede... um puxão naquela corda...

Com cuidado, Petreus havia colocado um pé sobre a soleira da câmara; seus companheiros estavam em seu encalço, seus punhais brilhando fracamente. De repente, Thak se levantou e se virou na direção do grupo. O pavor inesperado de sua aparência, quando pensavam contemplar o rosto odiado, porém familiar de Nabonidus, abalou seus nervos, da mesma forma que ocorreu a Murilo. Com um grito, Petreus recuou, fazendo com que seus companheiros também fossem para trás. Eles tropeçaram e se atrapalharam; naquele instante, com um só salto extraordinário e grotesco, Thak agarrou e puxou com força uma corda grossa de veludo que estava pendurada perto da porta.

Instantaneamente, as cortinas se abriram de ambos os lados, deixando a porta livre; da extremidade oposta, algo brilhou com um peculiar borrão prateado.

— Ele lembrou! — Nabonidus estava exultante. — A besta é metade humana! Ele viu a destruição que aconteceu e se lembrou! Observem agora! Vejam! Vejam!

Murilo viu um painel de vidro grosso cair do vão da porta. Através dele, viu também os rostos lívidos dos conspiradores. Estendendo as mãos como se tentasse afastar uma investida de Thak, Petreus encontrou a barreira transparente e, com gestos, disse algo aos companheiros. Agora que as cortinas se viam abertas, os homens no fosso podiam ver tudo que se passava na câmara onde estavam os nacionalistas. Totalmente desesperados, estes correram pelo espaço rumo à porta pela qual aparentemente tinham entrado, apenas para pararem de repente, como se impedidos por uma parede invisível.

— O puxão na corda selou a câmara — disse Nabonidus, rindo. — É simples: os painéis de vidro funcionam em ranhuras nas portas. Ao puxar a corda, a mola que os segura é acionada. Eles deslizam para baixo e se travam, podendo ser movimentados apenas por fora. O vidro é indestrutível; um homem com uma marreta não poderia quebrá-lo. Ah!

Os homens presos foram tomados por uma histeria de medo; corriam loucamente de uma porta para outra, batendo em vão nas paredes cristalinas, balançando os punhos com violência para a figura implacável agachada do lado de fora. Em seguida, um deles jogou a cabeça para trás, olhou para cima e começou a gritar, a julgar pelo movimento dos seus lábios, enquanto apontava para o teto.

— A queda dos painéis liberou as nuvens da morte — disse o Sacerdote Vermelho com uma gargalhada louca. — O pó de lótus cinza, dos Pântanos da Morte, que ficam além da terra Khitai.

Do centro do teto, pendia um conjunto de botões de ouro, que se abriram como as pétalas de uma enorme rosa esculpida, e deles saiu uma névoa cinzenta que rapidamente preencheu a câmara. Instantaneamente, a cena mudou de histeria para loucura e pavor. Os homens presos ali começaram a cambalear, correndo em círculos, como se estivessem embriagados. A espuma escorria de seus lábios, que se contorciam como um riso medonho. Furiosos, eles começaram a brigar entre si, com punhais e dentes, cortando, dilacerando, matando uns aos outros em loucura. Murilo ficou nauseado ao assistir aquilo e se alegrou por não poder ouvir os gritos e uivos que deviam ressoar naquela câmara amaldiçoada. Como imagens projetadas em uma tela, de repente, tudo ficou silencioso.

Do lado de fora da câmara de horrores, Thak pulava para cima e para baixo em uma alegria brutal, lançando seus longos braços peludos para o alto. Ao lado de Murilo, Nabonidus ria como um demônio.

— Ah, um bom golpe, Petreus! Conseguiu estripá-lo bastante! Agora um para você, meu amigo patriota! Assim! Todos estão caídos, e os vivos dilaceram a carne dos mortos com seus dentes raivosos.

Murilo estremeceu. Atrás dele, o cimério praguejou baixinho em seu idioma grosseiro. Somente a morte podia ser vista na câmara tomada pela névoa cinzenta; dilacerados, feridos e mutilados, os conspiradores estavam caídos em uma pilha vermelha, com suas bocas abertas e seus rostos sujos de sangue, fitando com olhos vazios os redemoinhos cinzentos que giravam lentamente.

Curvando-se como um gnomo gigante, Thak se aproximou da parede onde a corda estava pendurada e lhe deu um puxão peculiar para o lado.

— Ele está abrindo a porta mais distante — disse Nabonidus. — Por Mitra, ele é mais humano do que eu imaginava! Veja, a névoa rodopia para fora da câmara e se dissipa. Ele espera a fim de estar seguro. Agora levanta o outro painel. Ele é cuidadoso... conhece a destruição da lótus cinza, que traz a loucura e a morte. Por Mitra!

Murilo se sacudiu com o tom eufórico da exclamação.

— É a nossa única chance! — exclamou Nabonidus. — Se ele sair da câmara acima por alguns minutos, arriscaremos subir correndo a escada.

Repentinamente tensos, o trio assistiu ao monstro cambalear pela porta e desaparecer. Com o levantamento do painel de vidro, as cortinas se desdobraram de novo, escondendo a câmara da morte.

— Temos que arriscar! — arfou Nabonidus, e Murilo viu o suor brotar em seu rosto. — Talvez ele se livre dos corpos como me viu fazer antes. Rápido! Sigam-me escada acima!

Ele correu na direção dos degraus e os subiu com uma agilidade que surpreendeu Murilo. O jovem nobre e o bárbaro estavam em seu encalço e ouviram o suspiro aliviado do sacerdote quando abriu a porta no topo da escada. Eles irromperam na ampla câmara que tinham visto no espelho lá embaixo. Thak não estava em lugar algum.

— Ele está naquela câmara com os corpos! — exclamou Murilo. — Por que não o prendemos lá como ele prendeu os outros homens?

— Não, não! — sobressaltou-se Nabonidus, o rosto tingido por uma palidez incomum. — Não sabemos se Thak está lá. De qualquer forma, ele pode aparecer antes de alcançarmos a corda da armadilha! Sigam-me para o corredor; devo ir até os meus aposentos e pegar armas que acabem com ele. Esse corredor é a única passagem que não conta com algum tipo de armadilha.

Eles o seguiram rapidamente por uma porta com cortinas que ficava do lado oposto à entrada da câmara da morte e chegaram a um corredor, onde se abriam diversas outras câmaras. Com uma pressa desajeitada, Nabonidus começou a testar as portas de cada lado. Elas estavam trancadas, assim como a porta na outra extremidade do corredor.

— Meu Deus! — disse o Sacerdote Vermelho, que se encostou na parede, lívido. — As portas estão trancadas, e Thak pegou as minhas chaves. No final das contas, estamos presos.

Murilo ficou pasmo ao ver o homem naquele estado de nervos, e Nabonidus se recompôs com dificuldade.

— A criatura me dá pânico — disse ele. — Se você a tivesse visto dilacerar os homens como eu vi... bem, que Mitra nos ajude, mas devemos enfrentá-lo agora com o que os deuses nos deram. Venham!

O sacerdote os conduziu de volta à porta com cortinas e espiou dentro da enorme câmara a tempo de ver Thak aparecer na porta oposta. Estava claro que a fera humana tinha suspeitado de algo. Suas orelhas pequenas e estreitas se contraíram; ele olhou furiosamente ao seu redor e, se aproximando da porta mais próxima, puxou as cortinas para verificar se havia algo atrás.

Nabonidus recuou, tremendo como uma folha ao vento, e agarrou o ombro de Conan.

— Você ousaria cravar seu punhal contra as presas dele?

Os olhos do cimério brilharam em resposta.

— Rápido! — sussurrou o Sacerdote Vermelho, empurrando-o para trás das cortinas, rente à parede. — Já que ele nos encontrará em breve, melhor atraí-lo de uma vez. Quando ele passar por você, crave sua lâmina nas costas dele se possível. Murilo, apareça no campo de visão de Thak e então fuja pelo corredor. Mitra sabe que não temos chance com ele no combate corpo a corpo, mas estamos condenados de qualquer jeito quando formos encontrados.

Murilo sentiu o sangue gelar nas veias, mas criou coragem e saiu pela porta. Sem demora, do outro lado da câmara, Thak virou

# INIMIGOS EM CASA

o corpo, olhou ferozmente e partiu para o ataque com um rugido ameaçador. Seu capuz escarlate estava caído para trás, revelando a cabeça preta e deformada; as mãos pretas e o manto vermelho estavam salpicados de um vermelho ainda mais brilhante. Era como um pesadelo carmesim e negro correndo pela câmara, as presas à mostra, as pernas arqueadas lançando seu corpo enorme em uma marcha aterrorizante.

Murilo se virou e correu de volta para o corredor e, por mais rápido que o fizesse, o monstro peludo estava quase em seu encalço. Então, quando o monstro passou correndo pelas cortinas, do meio delas, saltou uma figura enorme que atingiu em cheio os ombros do homem-macaco, ao mesmo tempo que enfiou o punhal naquelas costas animalescas. Thak gritou terrivelmente quando o impacto o derrubou, e os combatentes caíram juntos no chão. No mesmo instante, um turbilhão de membros começou a lutar enfurecidamente, em uma batalha demoníaca.

Murilo viu que Conan havia travado as pernas ao redor do torso do homem-macaco e se esforçava para se manter nas costas do monstro enquanto o abatia com seu punhal. Por outro lado, Thak se esforçava para arrancar de suas costas seu insistente oponente e levá-lo até suas presas gigantescas, que estavam sedentas pela carne do bárbaro. Rolaram pelo corredor, em um turbilhão de golpes e farrapos vermelhos, tão rápido que Murilo não se atreveu a usar a cadeira que tinha agarrado com receio de acertar o cimério. Ele viu que, apesar da vantagem de Conan por ter atacado de surpresa e do manto volumoso que limitava os movimentos do homem-macaco, a força descomunal de Thak prevalecia. Sem dúvida nenhuma, ele conseguiria puxar o cimério de suas costas. A criatura tinha sido castigada o suficiente por ter matado uma dúzia de homens. O punhal de Conan havia afundado repetidas vezes em seu torso, ombro e pescoço grosso, que parecia o de um touro; ele sangrava profusamente de vários ferimentos. Porém, a menos que a lâmina atingisse logo um ponto vital, a força descomunal de Thak permitiria que ele acabasse com o cimério e, depois dele, com os companheiros de Conan.

O próprio bárbaro lutava silenciosamente como uma fera selvagem, exceto por seus arquejos de esforço. As garras do monstro e o aperto terrível daquelas mãos disformes o dilaceravam, enquanto as mandíbulas sinistras se abriam mirando sua garganta. Murilo então, vendo uma oportunidade, saltou e o golpeou com a cadeira, com força suficiente para rachar o crânio de um ser humano. A cadeira resvalou na cabeça deformada de Thak; no entanto, o monstro atordoado relaxou momentaneamente o seu aperto dilacerante e, naquele instante, ofegando e sangrando, Conan investiu em direção ao monstro e cravou seu punhal até o cabo no coração do homem-macaco.

Com um tremor convulsivo, Thak foi ao chão, caindo rígido de costas em seguida. Seus olhos ferozes ficaram estáticos, e os membros robustos estremeceram antes de enrijecerem.

Conan cambaleou atordoado, sacudindo o suor e o sangue dos olhos. Seu punhal e seus dedos gotejavam sangue, e havia respingos que escorriam por suas coxas, braços e peito. Murilo tentou segurá-lo para não cair, mas o bárbaro o afastou com impaciência.

— Quando eu não mais conseguir ficar em pé sozinho, será a minha hora de morrer — murmurou Conan por entre os lábios disformes. — Mas eu aceitaria uma jarra de vinho.

Nabonidus olhava para a figura imóvel como se não pudesse acreditar no que via. Peludo e abominável, o monstro jazia grotesco nos farrapos do manto escarlate; ainda mais humano do que bestial, mesmo assim, de alguma forma era digno de compaixão.

Até mesmo o cimério percebeu aquilo e disse, ofegante:

— Eu matei um homem esta noite, não uma fera. Vou adicioná-lo à lista de chefes cujas almas enviei para a escuridão, e minhas mulheres cantarão sobre ele.

## INIMIGOS EM CASA

Nabonidus se abaixou e pegou um molho de chaves em uma corrente dourada. Elas haviam caído do cinto de Thak durante a batalha. Gesticulando para que seus companheiros o seguissem, ele os conduziu a uma outra câmara, destrancou a porta e entrou na frente. Estava iluminada como as demais. O Sacerdote Vermelho pegou um recipiente de vinho de uma mesa e encheu as taças de cristal. Enquanto seus companheiros bebiam sedentamente, ele murmurou:

— Que noite! Já está prestes a amanhecer. O que farão, meus amigos?

— Cuidarei dos ferimentos de Conan se me trouxer bandagens — respondeu Murilo, e Nabonidus assentiu, indo até a porta que dava para o corredor.

Mas algo na forma como o sacerdote assentiu fez Murilo desconfiar de algo. Na porta, Nabonidus virou-se de repente. Seu rosto havia passado por uma transformação. Seus olhos recobraram o brilho sinistro de outrora, e ele riu silenciosamente.

— Somos todos vigaristas! — disse o sacerdote, seu tom de voz com a costumeira zombaria. — Mas não pense que somos todos idiotas. Você é o idiota, Murilo!

— O que quer dizer com isso? — contestou o jovem, dando um passo à frente.

— Afaste-se! — gritou Nabonidus, cuja voz estalou como um chicote. — Mais um passo e farei você explodir!

O sangue de Murilo gelou ao ver que a mão do Sacerdote Vermelho agarrava uma corda grossa de veludo, pendurada entre as cortinas do lado de fora da porta.

— Que traição é essa? — gritou o nobre. — Você jurou...

— Jurei que não contaria ao rei uma brincadeirinha ao seu respeito! Não jurei que não resolveria o problema com as minhas próprias mãos se pudesse. Você acha que eu perderia essa chance? Em circunstâncias normais, não ousaria matá-lo eu mesmo, sem a aprovação do rei, mas agora ninguém jamais saberá. Você irá para os tonéis de ácido com Thak e os idiotas nacionalistas, e nunca descobrirão. Que noite incrível para mim! Se eu perdi alguns criados valiosos, mesmo assim me livrei de vários inimigos perigosos. Afaste-se! Já passei da soleira da porta e você não pode me alcançar antes que eu puxe esta corda e lhe envie para o inferno. Desta vez, não será com a lótus cinza, mas com algo tão eficaz quanto. Quase todos os cômodos da minha casa são uma armadilha. E, então, Murilo, você é o idiota...

Rápido demais para que a visão pudesse acompanhar, Conan pegou um banquinho e o arremessou. Instintivamente, Nabonidus ergueu o braço com um grito, mas não a tempo. O objeto, que voou como um míssil, esmagou sua cabeça, e o Sacerdote Vermelho cambaleou e caiu de bruços em uma poça carmesim escura que aumentava lentamente.

— No final das contas, o sangue dele era vermelho — resmungou Conan.

Murilo passou a mão trêmula nos cabelos suados ao se encostar na mesa, enfraquecido de alívio.

— Já está amanhecendo — disse ele. — Vamos sair daqui, antes que nos deparemos com alguma outra maldição. Se pudermos escalar a parede externa sem sermos vistos, não seremos associados aos eventos desta noite. Que a polícia crie sua própria explicação.

Ele olhou para o corpo do Sacerdote Vermelho na poça carmesim e deu de ombros.

— Ele foi o idiota, afinal. Se não tivesse parado para nos provocar, poderia ter nos prendido facilmente.

— Bem — disse o cimério com tranquilidade —, ele percorreu o caminho que todos os bandidos devem percorrer no final. Eu adoraria saquear a casa, mas suponho que seja melhor irmos embora.

Ao saírem da penumbra para o jardim iluminado pelo nascer do dia, Murilo disse:

— O Sacerdote Vermelho já foi abatido, então meu caminho está livre na cidade e não tenho nada a temer. Mas e você? Ainda há aquela questão sobre aquele padre no Labirinto e...

— Estou cansado desta cidade, de qualquer modo — sorriu Conan. — Você mencionou um cavalo à minha espera na Toca do Rato. Estou curioso para ver o quão rápido ele pode me levar para outro reino. Há muitas estradas pelas quais quero viajar antes de pegar aquela que me levará ao mesmo destino de Nabonidus.

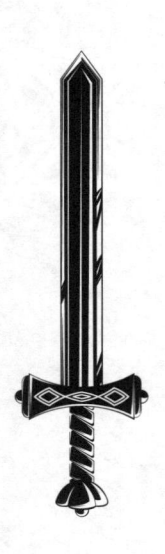

# GALERIA DE CAPAS

# A SOMBRA NO PALÁCIO DA MORTE
(ou "Xuthal do Crepúsculo")

História originalmente publicada como "The Slithering Shadow" em *Weird Tales* – setembro de 1933.

# O POÇO MACABRO

História originalmente publicada em *Weird Tales* — outubro de 1933.

# INIMIGOS EM CASA

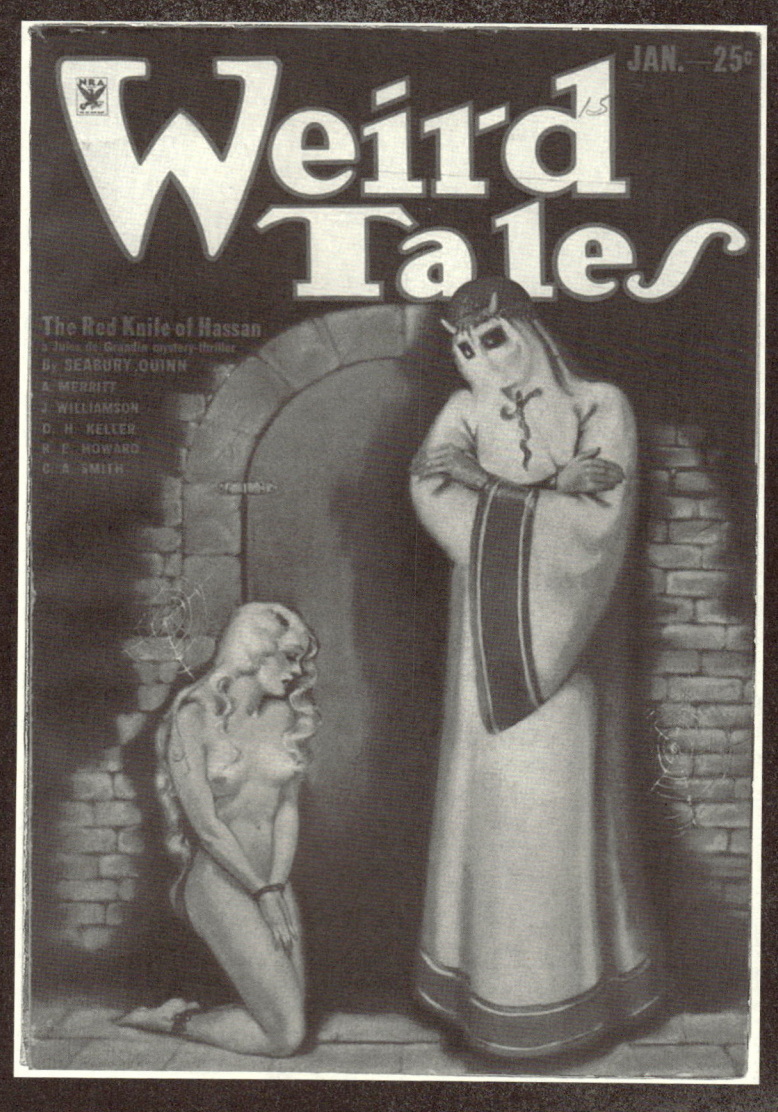

História originalmente publicada em *Weird Tales* — janeiro de 1934.

# BIOGRAFIA DO AUTOR

*Robert E. Howard*

## BIOGRAFIA DO AUTOR

O terreno da fantasia americana nunca mais foi o mesmo após adentrar nele Robert E. Howard, o criador de um dos personagens mais emblemáticos da literatura fantástica do século XX: Conan, o Bárbaro. O peso de seu legado para a fantasia não é mais leve do que o de outros autores como H. P. Lovecraft, J R. R. Tolkien, Bram Stoker, Lewis Caroll. Obviamente, o contexto texano em que vivia forneceu-lhe um combustível muito diferente para a produção de suas obras, diferenciando-se assim dos autores de contexto britânico ou mesmo os americanos de outras regiões, mas que viviam uma outra realidade social.

Publicou, majoritariamente, em revistas de *pulp fiction*, um tipo de publicação fabricada a partir da polpa de celulose e que se volta para um público mais específico, abrangendo histórias de ficção científica, horror e temas mais alternativos, literariamente falando. Essas revistas de *pulp fiction* se inspiraram em gêneros vitorianos, como por exemplo, o romance gótico, o folhetim e o *penny dreadful*, uma espécie de popular publicação periódica que circulou o Reino Unido, abordando temas sangrentos e sobrenaturais.

O auge da *pulp fiction* foi nos anos de 1930 quando publicações de um milhão de cópias por edição eram comuns. Seu espaço, no entanto, começou a ser preenchido, posteriormente, pelos quadrinhos, devido em grande parte ao avanço das técnicas de impressão, que originaram um gênero multimodal no qual as

## BIOGRAFIA DO AUTOR

ilustrações causavam um efeito visual muito mais interessante ao público jovem, o mesmo que em sua maioria lia as *pulp fictions*.

Porém antes disso acontecer, as revistas de *pulp fiction* foram o terreno fértil para que a fantasia sanguinolenta de Howard brotasse e se espalhasse, sendo a *Weird Tales* a principal delas. Sua produção foi prolífica, tendo escrito mais de quatrocentos contos e quinhentos poemas e fundado subgêneros da fantasia como *Weird West*, um subgênero das histórias de Velho Oeste, mas com elementos fantásticos, e Espada e Feitiçaria, um subgênero de narrativas épicas que envolvia civilizações antigas, sanguinolentos duelos de espada e outras armas brancas em conjunção com elementos de práticas mágicas e seres sobrenaturais. Além disso, chegou a flertar com vários outros gêneros literários, chegando até mesmo a escrever leves ficções eróticas, embora a fantasia seja o gênero que mais lhe será característico. Toda essa grandiosidade de qualidade e volume foi produzida em um reduzido tempo de vida, apenas trinta anos.

Nascido em 22 de janeiro de 1906, Robert Ervin Howard começou sua vida na pequena comunidade não incorporada de Peaster, no Texas. Seu pai, Isaac Howard era um médico e em decorrência disso sua família precisava se mudar frequentemente, prestando serviços médicos de local em local.

As várias mudanças em si já são muito marcantes a uma criança, mas o que é mais marcante, até mesmo traumático, é a exposição com que Robert sofreu aos ossos do ofício de médico do seu pai: pessoas acidentadas, mutiladas, repletas de feridas sangrentas etc. Como se já não fosse suficiente, somado a isso estava o ambiente de acirrada competição por novos poços de extração de petróleo, o que tornava frequente nessas regiões crimes ultraviolentos para destruir o concorrente.

Relatos desses crimes se misturavam, na boca dos mais velhos, com os violentíssimos eventos da expansão das fronteiras americanas para a região oeste, que nesse momento

## BIOGRAFIA DO AUTOR

embrenhava-se nas brumas de uma aura quase mitológica. Howard nutria-se dessas narrativa e elas, por sua vez, abasteciam sua imaginação, em uma simbiose que contribuiria posteriormente para seu trabalho de escritor.

A violência não era uma estranha a Howard e uma das formas de canalizá-las foi com a apreciação do pugilismo. Howard encantou-se com o esporte, que já havia encontrado tremendo sucesso na América do Norte inteira. No pugilista, Howard admirava a capacidade de resiliência. Não era necessariamente a agressividade que lhe interessava, mas, sim, superar os limites da resistência, prática que penetrou em sua obra artística com tal ímpeto que é conspícua em todos seus heróis. A contenda e a violência são estados de selvageria inerentes à origem animalesca do homem e, portanto, uma de suas características mais importantes, pois remontam a algo primordial e profundamente antigo na essência da humanidade.

Já sua mãe, Hester Howard, vivia do outro lado do espectro. Era como um jorro de água fresca em meio a uma fonte de sangue. Era movida por um profundo gosto por literatura. Lia poemas junto de seu filho, incentivando-o, sempre que podia, a escrever. Era uma mulher de notável generosidade e essa mesma generosidade foi seu fim, pois ao ajudar parentes doentes, contraiu tuberculose.

Tanto a influência do ambiente quanto a atmosfera incitada por sua mãe foram responsáveis por criar um homem complexo e multifacetado que, estando ao mesmo tempo naturalizado com a violência e ligado à delicadeza do mundo da literatura, via ceticamente o progresso da humanidade. Sua concepção de valor e pureza moral não podia estar ligada ao progresso, visto que esse arrastava um enxame de vícios consigo, mas sim a tempos menos complexos, em que a masculinidade manifestava-se enquanto virtude e força.

# ROBERT E. HOWARD

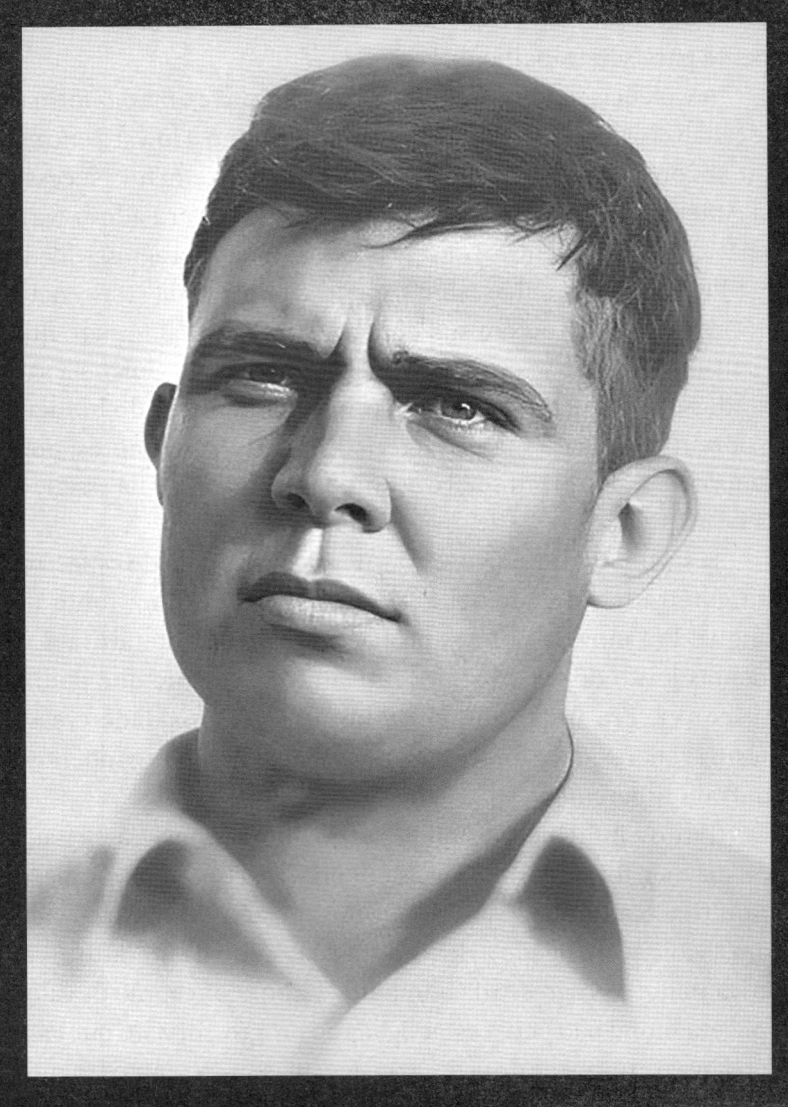

MUNDO TENTACULAR. O Weird Western de Robert E. Howard em Financiamento Coletivo. Disponível em: <http://mundotentacular.blogspot.com/2021/04/o-weird-western-de-robert-e-howard-em.html>

# EDUCAÇÃO

Em sua primeira escola formal, na cidade de Bagwell, em 1914, Howard notou quão restritivos à sua imaginação era o ensino escolar. Não mantinha uma boa relação com seus colegas de classe e abstinha de se envolver em brigas, por essa razão voltaram-se contra ele praticando *bullying* e violência escolar. Essas atitudes o fizeram retrair ainda mais, aumentando seu ceticismo em relação ao mundo moderno. Seu único refúgio era na escrita. Aos nove anos de idade já escrevia sobre batalhas de povos guerreiros distantes e lia constantemente os mais variados gêneros, a fim de captar alguma sensação de maravilhamento e emoção.

Em 1919, passa um tempo em Nova Orleans, pois seu pai fora para lá para fazer algumas especializações na área da medicina e é exatamente nessa ocasião em que entra em contato com um livro de história britânica e conhece os pictos, um povo antigo que vivia no norte e no leste da Escócia e que travou diversos combates com os romanos na Antiguidade. Diversas fontes antigas e medievais retratavam os pictos como tolos bárbaros sem cultura, mas para um pequeno Howard possuíam a real essência da liberdade e um estilo de vida desafiador e aventureiro.

Em 1920, na cidade de Cross Plains, em que seu pai no ano anterior havia comprado uma casa, foi descoberta uma imensa reserva de petróleo, o que fez atrair uma grande massa populacional. Dentro dessa massa estavam as figuras que Howard julgavam ser mais imorais: prostitutas, bêbados, viciados, barões arrogantes etc. O crescimento populacional foi exponencial e Howard não suportava a toxicidade que havia se instaurado no lugar. Sua válvula de escape, novamente, foi na escrita e se dissociou-se do mundo físico se dedicando grandemente a escrever *pulp fiction*. É nesse período, aos quine anos de idade, que cria

EDUCAÇÃO

Solomon Kane, por exemplo, e dedica-se a destrinchar o *modus operandi* tanto dos contos como das revistas de *pulp fiction*.

Sua primeira publicação foi em um jornal escolar em 1922, chamado *The Tattler*. Não foi um trabalho remunerado, eram apenas duas historietas, mas sua satisfação foi tremenda, pois elas já haviam ganhado prêmios em pequenos concursos.

Em 1924, parte para estudar estenografia no Howard Payne Business College, em Brownwood. Somente no ano seguinte, em julho de 1925, é que sua primeira publicação profissional sairia. A revista de *pulp fiction* chamada *Weird Tales* publicou um de seus contos chamado "Lança e presa", que descrevia uma disputa entre dois homens pré-históricos por uma bela donzela. Seu progresso não fora explosivo, porém o bastante para terminar seu curso de estenografia e retornar para casa e se dedicar integralmente ao ofício de escritor.

A revista *Weird Tales* acabou por aceitar, algumas semanas depois, publicar mais uma de suas histórias. Porém, Howard precisou continuar paralelamente em trabalhos regulares, visto que suas publicações eram esporádicas. Trabalhou como colunista de jornal, teve um emprego nos correios, na empresa de gás e de petróleo, dentre outros. Não desistiu, porém, de escrever, até estabelecer uma colaboração regular com a *Weird Tales* e angariar uma história de capa com "Cabeça de lobo", em abril de 1926.

Ele retomou o curso na Howard Payne Business College, no programa de contabilidade, e é ao longo desse curso que criou o personagem de Kull, e escreveu seu conto "O reino das sombras". No mesmo ano da conclusão de seu curso de contabilidade, em 1927, ele envia a história para a *Weird Tales* que só publicaria dois anos depois. É durante o processo de criação dessa narrativa que consegue reunir organicamente elementos de mitologia, romance histórico, fantasia e ação em uma amálgama genérica perfeita que formaria o subgênero de Espada e Feitiçaria.

Apesar disso, "Sombras vermelhas", um conto que Solomon Kane protagoniza, é lançado em 1928, sendo o pioneiro conto do subgênero a ser publicado.

Após o sucesso de "O reino das sombras", Howard continuou explorando o mundo dos esportes de combate, escrevendo alguns contos com a temática do pugilato para a revista *Fight Stories*. Já em 1930, enveredando por sua ancestralidade celta, começa a estudar gaélico e a escrever narrativas de heróis irlandeses baseados em sua história e mitologia, é o caso de Turlogh Dubh O'Brien e de Cormac Mac Art. É também nesse momento que consegue se estabelecer escrevendo em tempo integral para ambas as revistas: *Weird Tales* e *Fight Stories*. Além delas, outra revista *pulp* chamada *Oriental Stories* surge nesse período fornecendo a Howard ainda mais território para explorar o mundo místico e também agregando mais uma fonte de renda.

Nesse tempo começaria uma outra fase da vida de Howard que lhe seria muito importante: o contato com a obra de H. P. LOVECRAFT. O conto "Os ratos nas paredes" desperta uma profunda admiração em Howard por construir com verossimilhança o contexto histórico da Inglaterra. Esse sentimento suscita uma troca de correspondências entre os dois autores, já que ambos escreviam para a *Weird Tales*. Por meio dessas epístolas, Lovecraft introduz Howard ao seu próprio círculo literário interno. Esse círculo era composto de autores de *pulp fiction* que contribuíam com o universo ficcional dos MITOS DE CHTULHU. Eles mantinham um sistema de referenciação que variava entre a criação de um livro das sombras, uma cidade assombrada por cultos e criar um Deus Exterior ou um Grande Antigo. Dentre os componentes do círculo estava, além de Howard, Robert Bloch, conhecido por ter escrito o famoso romance *Psicose*, mais tarde adaptado ao cinema por Alfred Hitchcock. A contribuição mais importante de Howard aos Mitos de Chtulhu é a criação do grimório alemão chamado *Unaussprechlichen Kulten* (Cultos Inomináveis), recorrentemente citado nos contos de outros autores do Círculo e do próprio Lovecraft.

    O ano de 1931 foi mais duro para Howard bem como para todos os escritores do Círculo de Lovecraft, pois as consequências da Grande Depressão levaram várias revistas de *pulp fiction* à falência. A *Weird Tales* sobreviveu, porém com um corte de gastos na periodicidade das publicações que passaram a ser apenas bimestrais. Pagamentos atrasados e até mesmo a perda de suas economias em razão da falência do banco em que mantinha conta foram a desastrosa realidade financeira de Howard nesse ano.

    No ano seguinte, todavia, trouxe um luz no fim do túnel. Em 1932, às margens do Rio Grande, um rio que serpenteia o sul dos Estados Unidos e o norte do México. Tem a ideia de criar uma terra árida e desolada chamada Ciméria, onde habitaria um bárbaro não menos desolador. Era Conan que nascia e todo seu universo germinava na mente de Howard.

    Naquele momento Howard já estava no mercado das *pulp fictions* há uns bons anos para saber quais elementos agradariam seu público leitor. Então, voltando para casa, começa a delinear os traços de Conan a partir desses elementos mais comerciais, a fim de garantir uma boa renda para si e um bom investimento para a *Weird Tales*, que sofria os terríveis efeitos da crise econômica.

    Para manter a coerência, Howard estabelece uma era chamada de Era Hiboriana, uma *faux histoire* baseada tanto na história universal, quanto em seus trabalhos prévios. Elementos geográficos, antropológicos e de anatomia racial são misturados a contos escritos previamente, porém não publicados. A primeira narrativa de Conan, por exemplo, advém da reelaboração de uma história de Kull. Dessa vez, por empirismo, Howard sabia muito bem o que precisava ser enxugado, limpo e acrescentado no conto para torná-lo ao mesmo tempo que comerciável também energético, vigoroso e intenso.

Ainda em 1932, Conan, o Bárbaro fez sua primeira aparição no conto "A fênix na espada". Publicado na *Weird Tales*, a história foi um sucesso e com isso Howard já tinha mais nove contos do mesmo universo engatilhados, além, claro, de sua primeira história de *Weird West* que seria lançada no ano seguinte também pela *Weird Tales*, sob o nome de "O horror da colina".

Trabalhando intensamente, Howard pôde em 1933 lançar mais histórias de Conan para a *Weird Tales*, assim como expandir seus horizontes com ajuda de um agente literário, Otis Adelbert Kline. Após auxiliá-lo a vender contos anteriormente rejeitados, Otis também o ajudou a explorar outros nichos. Dessa forma é que surge personagens como o texano James Allison e o pistoleiro El Borak.

Somente no final de 1933 e início de 1934 que Robert E. Howard voltaria a escrever as histórias do bárbaro cimério e de forma bem intensa, pois uma editora do Reino Unido encomendara um romance inteiro de Conan. A história intitulada "A hora do dragão", no entanto, não pôde ser publicada como livro pela editora, porque ela entrou em colapso financeiro e cancelou o projeto. A narrativa só veio a público quando foi lançada de forma periódica pela *Weird Tales* anos mais tarde, entre 1935 e 1936.

A revista *Weird Tales* estava entre os anos de 1934 e 1935 com um sério problema no pagamento de seus escritores regulares e isso levou Robert a mergulhar de cabeça em gêneros não relacionados com a *Weird*, como aqueles de tom cômico e que exploravam o Velho Oeste. É nesse espírito que nascem personagens como Breckenridge Elkins, Pike Bearfield e Buckner J. Grimes para outras revistas *pulp*, respectivamente para *Action Stories*, *Argosy* e *Cowboy Stories*.

Nesse meio tempo, estabelece um relacionamento com a professora e escritora Novalyne Price. Esse conturbado relacionamento foi posteriormente registrado em um livro de memórias escrito pela própria Novalyne intitulado *"The One Who Walked Alone*: Robert E. Howard, The Final Years", que na década de 1990 teve a adaptação cinematográfica *"The Whole Wide World"*. Essa foi a época mais próspera de sua vida. Estava em um relacionamento, embora esse fosse intermitente, passou a ganhar uma boa quantia com o sucesso de Breckenridge Elkins, e chegou até mesmo a escrever o romance "A Gent From Bear Creek". No entanto, sua mãe começou a piorar significativamente a tal ponto que precisou ser hospitalizada e sua condição era irreversível. Ao saber de uma enfermeira, no dia 11 de junho de 1936, que sua mãe estava em um coma profundo apenas esperando pelo momento da morte, Howard se desculpa com seu pai, caminha até o carro e suicida.

Muitos atribuem a causa do seu suicídio meramente ao estado crítico de sua mãe, que falece um dia após Howard, outros a um infundado complexo de Édipo, mas a verdade é que não era a primeira vez que o autor considerava o suicídio. Ao longo de sua vida consternava-se frequentemente com a brutalidade da sociedade a tal ponto que via na morte a única saída para uma possível liberdade. Vários indícios comprovam que suas intenções datam de muito antes: Howard estava organizando seus negócios já havia algum tempo, nutria um horror à velhice, dava indícios dessa atitude em piadas de humor questionável. Enfim, tudo isso, talvez, fosse apenas suspenso pela presença de sua mãe que, quando se foi, levou consigo o único fogo que alimentava a chama do gosto de viver que havia em Howard. Encerrar sua vida tão precocemente só expõe que seu enorme legado deixado para trás é o legado de um gênio, de um visionário e de um expoente da literatura em suas mais variadas formas e gêneros.

INFORMAÇÕES SOBRE NOSSAS PUBLICAÇÕES
E NOSSOS ÚLTIMOS LANÇAMENTOS

- editorapandorga.com.br
- /editorapandorga
- @pandorgaeditora
- @editorapandorga